LE
GRAND LIVRE
DU BRICOLAGE

LE
GRAND LIVRE
DU BRICOLAGE

URSULA BARFF
INGE BURKHARDT
JUTTA MAIER

CASTERMAN

CIP-Kurztitelaufnahme der Deutschen Bibliothek

Barff, Ursula:
Das große farbige Bastelbuch für Kinder/
Ursula Barff; Inge Burkhardt; Jutta Maier. –
Niedernhausen/Ts.: Falken-Verlag, 1986
(Falken-Sachbuch)
ISBN 3-8068-4254-X
NE: Burkhardt, Inge:; Maier, Jutta:

© 1986 by Falken-Verlag GmbH, 6272 Niedernhausen/Ts.
Titelbild und Fotos: Thomas Pfündel, Stuttgart;
Photo-Design-Studio Gerhard Burock, Wiesbaden-Naurod (S. 12)
Zeichnungen:
Beatrice Hintermaier, Glonn;
Gerhard Scholz, Dornburg;
Agnes Stockmann, AS-Design, Offenbach

© 1987 Casterman, traduction de Barbara Schild.
ISBN 2-203-14401-7

Invitation au bricolage

Les travaux que nous avons réalisés dans diverses écoles maternelles nous ont incitées à publier cet ouvrage.

Lors de nos cours, nous avons en effet pu constater à quel point les activités de bricolage exerçaient une influence positive sur l'évolution des enfants. Les petits de nature agitée deviennent plus calmes, apprennent à se concentrer et à achever un travail en cours. Les plus timides acquièrent de l'assurance, voyant la réussite de leurs réalisations. Et chacun développe son habileté et son sens esthétique.

Les après-midi et les soirées de bricolage que nous avons organisées à l'intention des parents nous ont également stimulées.

Plusieurs d'entre eux ont découvert qu'un bricolage pouvait réellement être une création originale et une manière intéressante d'occuper leurs enfants. Et lorsque ceux-ci sont devenus plus grands, les parents ont continué à manifester leur enthousiasme en participant toujours avec la même assiduité à nos réunions.

De plus, à l'occasion d'anniversaires ou de fêtes, nous avons souvent été consultées pour la réalisation de petits cadeaux.

Ce volume est donc le fruit de ces expériences passionnantes.

Tout au long de notre travail, nous nous sommes efforcées de tenir compte des diverses tranches d'âge et phases d'évolution des enfants.

Chaque chapitre commence par des bricolages élémentaires pouvant déjà être réalisés par des enfants âgés de 3 à 4 ans.

Ensuite nous proposons quelques idées qui demandent davantage d'adresse et de maîtrise, destinées à des enfants de 5 à 7 ans.

En fin de chapitre, nous suggérons des travaux pour des petits bricoleurs de 8 à 10 ans ou des projets qui peuvent être réalisés avec l'aide d'un adulte.

Le degré de difficulté ne peut évidemment pas être déterminé uniquement en fonction de l'âge. Il va de soi que le niveau d'entraînement de chaque enfant en matière de bricolage joue également un rôle essentiel.

Toutes les suggestions rassemblées dans cet ouvrage peuvent être suivies à la lettre ou faire l'objet de variantes. Elles peuvent aussi donner naissance à des idées personnelles.

A tous ceux qui utiliseront cet ouvrage, nous souhaitons beaucoup de plaisir et de succès!

Les auteurs.

TABLE DES MATIERES

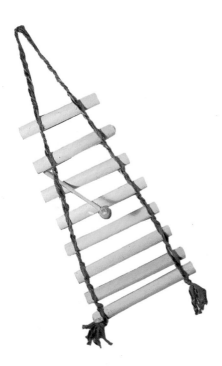

Bricoler
avec des enfants

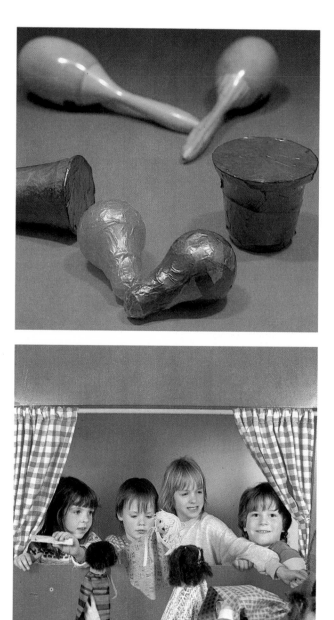

Presque tous les enfants, même les plus petits, aiment bricoler. Quand toute la famille est réunie et que chacun contribue à la réalisation du travail, ils y trouvent d'autant plus de plaisir.
Le nombre d'objets ravissants et utiles que l'on peut fabriquer à partir de matériaux de base bon marché est absolument étonnant.
C'est pourquoi nous vous recommandons de vous constituer une "boîte à bricolage" dans laquelle vous rassemblerez vos restants de tissu et de papier ainsi que toutes sortes de choses qui peuvent vous paraître utiles. Le seul fait de fouiller dans ce "trésor" est un plaisir en soi et stimule l'imagination.
Vous trouverez dans cet ouvrage une quantité de suggestions pour réaliser des bricolages faciles ou plus complexes.
Bon amusement à tous!

Petite initiation aux matériaux

Papiers

Le papier est à la base d'un grand nombre de travaux de bricolage.

En plus du papier blanc ordinaire pour machine à écrire, il existe une quantité d'autres sortes de papier que vous pouvez vous procurer en papeterie.

L'indication "format DIN" qui apparaît souvent sur l'emballage à la place des centimètres doit être interprétée de la manière suivante:

DIN A4: format courant du papier pour machine à écrire

DIN A5: moitié du format du papier pour machine à écrire

DIN A6: grandeur carte postale

DIN A3: double du format du papier pour machine à écrire

Le tableau ci-dessous reprend toutes les sortes de papier dont il est question dans cet ouvrage.

Sortes de papier	Propriétés	Conseils
Papier de couleur	Brillant, existe dans tous les tons, verso gommé, feuilles de différents formats	Facile à déchirer et à découper; en vente dans les magasins de bricolage.
Papier sulfurisé	Transparent, mince, existe en rouleau	Peut être utilisé pour décalquer des modèles; existe dans les magasins d'alimentation.
Papier cerf-volant	Translucide, feuilles dans tous les tons	Peut être remplacé par du papier transparent; en vente dans les magasins de bricolage.
Papier-éléphant	Translucide, papier épais, grossièrement madré, tous les tons, feuilles de format standard	Pour la fabrication de lanternes; en vente dans les magasins de bricolage.
Papier pliant	mince, tous les tons, carré, rectangulaire ou rond, différents formats	En vente dans les magasins de bricolage.
Carton pour photos	Carton mince, tous les tons, formats standardisés	en vente dans les magasins de bricolage ou en papeterie.
Papier doré	Brillant, résistant, couleurs: doré, argenté, rouge, bleu, vert. Existe en rouleau.	En vente dans les magasins de bricolage ou en papeterie.
Papier crépon	Structure crépon, tous les tons, existe en rouleau	Attention : déteint au contact de l'eau ou de la colle (colle d'amidon); en vente dans les magasins de bricolage.
Papier origami	Tous les tons, carré, différents formats, similaire au papier pliant	Peut être utilisé comme du papier pliant; en vente dans les magasins de bricolage.
Papier calque	Transparent, mince, robuste, similaire au papier sulfurisé	En vente en papeterie. Possibilité d'obtenir des restants auprès d'un bureau d'architecture.
Papier de soie	Très fin, légèrement transparent, tous les tons, feuilles de format standard	Attention: déteint au contact de l'humidité ou de la colle; en vente dans les magasins de bricolage.
Papier silhouette	Recto noir, verso blanc, feuilles de différents formats	En vente dans les magasins de bricolage ou en papeterie.
Papier à dessin	Carton mince, tous les tons, feuilles de format standard	En vente dans les magasins de bricolage.
Papier transparent	Translucide, tous les tons, existe en feuilles	En vente dans les magasins de bricolage.
Papier feutré	Papier dont l'une des faces est recouverte d'une matière feutrée, tous les tons, existe en feuilles	En vente dans les magasins de bricolage.
Carton ondulé	Carton souple dont l'une des faces est ondulée	Déchets gratuits, rassembler des chutes assorties.

Couleurs

Les couleurs jouent un rôle important dans presque toutes les activités de bricolage. C'est peint et colorié que votre travail acquiert tout son éclat. La plupart des couleurs sont étendues à l'aide d'un pinceau. Un bon pinceau coûte fort cher. Veillez donc à l'utiliser avec soin. Rangez-le toujours verticalement, les poils vers le haut, pour ne pas l'abîmer et nettoyez-le soigneusement après chaque utilisation.

Pour certains types de couleurs, comme les couleurs laquées, procurez-vous un détergent spécial.

Le tableau ci-dessous reprend toutes les couleurs qui apparaissent dans cet ouvrage.

Couleurs	Propriétés	Conseils
Peinture à doigts	bien couvrante, convient pour de grandes surfaces, lavable	En vente dans les magasins de bricolage.
Peinture laquée	bien couvrante, sèche lentement, laisse des taches indélébiles	En vente dans les magasins de peinture ou de bricolage.
Peinture vinyle	bien couvrante, sèche très lentement	En vente dans les magasins de bricolage ou en papeterie.
Couleur acrylique	Couleur pour la décoration intérieure et extérieure, résiste à l'eau, brillante, très couvrante, s'enlève difficilement	En vente dans les magasins de bricolage.
Teinture pour tissus	Ne convient que pour les textiles, se lave facilement avant le repassage	En vente dans les magasins de bricolage.
Pastels gras	Crayons de couleurs, brillants, couleurs vives	Choisissez de préférence des crayons non toxiques, contenant de la cire d'abeille: en vente dans les magasins de bricolage ou en papeterie.
Gouache	Moyennement couvrante, s'estompe vite, s'enlève facilement	En vente dans les magasins de bricolage ou en papeterie.

Matériaux de bricolage gratuits

Quand vous examinerez la liste des matériaux repris dans cet ouvrage, vous constaterez qu'un grand nombre d'accessoires nécessaires font partie du ménage et certains sont même généralement destinés à la poubelle.

Il est, dès lors, recommandé de prévoir une caisse ou une boîte pour y rassembler tous les matériaux dits "sans valeur".

Vous pourrez y accumuler tout ce qui suit:

– cartes de vue, restes de galons, couvercles à visser, restants de fourrures, restants de rideaux, morceaux de vitres, vieilles ampoules, petits élastiques, morceaux de bois, pots à yaourt vides, toutes sortes de boîtes, bougies, boutons, capsules, rouleaux de papier de cuisine vides, chaussettes usées, restants de tissu, boîtes d'allumettes vides, restants de papier-peint, bougies pour chauffe-plat, vieux tamis pour théière, rouleaux de papier de toilette vides, coquilles de noix, tonneaux de poudre à lessiver vides avec couvercles, bouts de laine, bouchons de bouteilles de vin, vieilles brosses à dents.

Les matériaux naturels qui sont cités dans cet ouvrage peuvent presque tous être récoltés lors de promenades en forêt et dans les champs. Veillez cependant à les conserver dans un endroit aéré pour éviter qu'ils ne moisissent.

Pour cela, procurez-vous une caisse ou un carton qui laisse passer l'air. Les herbes et les fleurs doivent être suspendues par les tiges pour sécher, avant d'être stockées dans une caisse aérée.

Voici une liste de tout ce que vous pouvez collectionner:

– feuilles décoratives, champignons de forêt, fleurs, coquilles de faînes, glands et leurs coquilles, plumes, herbes, fruits d'églantiers, noisettes et leurs coquilles, mousses, écorces d'arbre, pommes de pin.

Divers matériaux à acheter

Une série de matériaux de bricolage à acheter.

En plus du papier et des couleurs, il existe une série de choses à se procurer dans des magasins d'outillage ou de bricolage. Les matériaux les plus importants sont repris dans le tableau ci-dessous. Mais vous en trouverez certainement quelques-uns, comme par exemple du fil de fer, dans la boîte à outils familiale ou à la cave. Comme vous aurez rarement besoin de grandes quantités de matériaux pour vos bricolages, vous pourrez souvent utiliser de petits restants.

Objets	Description	Conseils
Pince à bricoler	La moitié d'une pince à linge en bois	En vente dans les magasins de bricolage.
Fil de fer pour fleurs	Assez flexible, fil de fer fin	En vente chez les fleuristes ou dans les magasins de bricolage.
Fil de fer	Il en existe de diverses épaisseurs, doit être plié avec une pince plate	En vente dans les magasins de bricolage ou d'outillage.
Cheville	Tige en bois ronde, diamètre et longueur au choix	En vente dans les magasins de bricolage.
Feutrine	Tissu, existe dans tous les tons, ne s'effiloche pas	En vente dans les magasins de tissu ou de bricolage.
Anneaux pour rideaux	Anneaux en bois, diverses tailles et épaisseurs	En vente dans les magasins de rideaux.
Ruban pour emballages cadeaux	Ruban synthétique, existe dans tous les tons, différentes largeurs, se vend au mètre	En vente dans les boutiques de cadeaux ou dans les magasins de tissu.
Plâtre	Poudre blanche, se dilue dans l'eau, durcit rapidement	En vente dans les magasins d'outillage.

Granulés	Poudre cristalline, incolore ou de couleur, fond au four	En vente dans les magasins de bricolage.
Perles en bois	En bois naturel ou perles laquées de toutes les couleurs, différents diamètres, trouées au milieu	En vente dans les magasins de bricolage.
Ruban en caoutchouc	Elastique épais, grande variété de tons, existe en bobines	En vente dans les merceries.
Bougeoir	Bougeoir métallique pour lanternes, peut être fixé sur le fond de la lanterne	En vente dans les magasins de bricolage.
Papier collant	Transparent, existe en rouleau	En vente dans les magasins de bricolage ou en papeterie.
Laine brute	Laine qui n'a été ni tissée, ni lavée, de couleur naturelle ou teintée	En vente en mercerie ou dans les magasins de bricolage.
Fibres de bois	Fibres minces employées pour emballages, existent en différents tons	En vente dans les magasins de bricolage.
Sacs poubelles en papier	Très grands sacs en papier robuste	En vente dans les drogueries ou dans les magasins d'articles ménagers, n'existent que dans certaines régions.
Cure-pipe	Fil de fer entouré de poils synthétiques, tous les tons, doit-être coupé à l'aide de ciseaux ou d'une pince	En vente dans les tabacs ou les magasins de bricolage.
Produit d'entretien pour pinceaux	Dissolvant universel, attention toxique!	En vente dans les magasins de peinture ou de bricolage.
Colle forte	Colle à bois, sèche rapidement	En vente dans les magasins de bricolage ou d'outillage.
Colle pour bricolage	Colle liquide, sèche vite, forte, lavable	En vente dans les magasins de bricolage ou en papeterie.
Ruban de ramie	Similaire au raphia, repassé à plat, différentes largeurs, existe en liasses	En vente dans les magasins de bricolage.
Toile de jute	Tissu utilisé pour la fabrication des sacs de pommes de terre, s'achète au mètre	En vente dans les magasins de tissu ou de bricolage.
Ruban de velours	Rubans de différentes largeurs, tous les tons, s'achète au mètre	En vente dans les magasins de tissu.
Feuilles adhésives	Feuilles transparentes, recto brillant, verso adhésif, s'achète au mètre	En vente en papeterie ou dans les magasins de bricolage.
Brochettes pour grillades	Bâtonnets en bois d'environ 18 cm de long dont l'une des extrémités est taillée en pointe	En vente dans les magasins d'articles ménagers ou de bricolage.
Laque en atomiseur	Laque clair en atomiseur, peut être utilisée sans pinceau, toxique	En vente dans les magasins de bricolage.
Colle d'amidon	Poudre d'amidon qui doit être dilué dans l'eau en suivant le mode d'emploi de l'emballage. Convient pour les papiers, lavable	En vente dans les magasins d'outillage ou de bricolage.
Argile	Masse blanche, brun claire ou foncée doit être conservée dans un endroit humide, s'achète uniquement par kilo	S'achète chez un potier ou dans les magasins de bricolage.
Email pour argile	Poudre, doit être diluée selon le mode d'emploi, devient brillante et imperméable après cuisson	S'achète chez un potier ou dans les magasins de bricolage.
Fleurs séchées	Fleurs séchées de toutes sortes, colorées, fragiles	Les collectionner ou les acheter chez un fleuriste.
Tampon d'ouate	Ouate pressée en forme de boules, toutes les dimensions, blanches, légères	En vente dans les magasins de bricolage ou les grands magasins.

Décalquer des modèles

Nous ne sommes pas tous des artistes peintres et de ce fait il arrive souvent que nous soyons déçus par le résultat de nos réalisations.

Pour vous aider, cet ouvrage vous offre des modèles à décalquer pour tous les dessins difficiles à réaliser. Ces modèles sont présentés en général à côté des objets à bricoler. En cas de place insuffisante, vous les trouverez dans le catalogue des modèles qui commence à la page 221.

Les dessins qui sont plus grands que le format du livre ont été reproduits sur une feuille d'une grandeur spéciale située en fin d'ouvrage.

La reproduction avec du papier-calque

Le papier-calque est transparent et solide. Vous pouvez l'acheter dans une papeterie ou vous adresser à un bureau d'architecture. Les architectes utilisent beaucoup cette sorte de papier et il leur reste souvent des déchets que vous pourrez certainement obtenir gratuitement.

Au lieu de papier-calque, vous pouvez aussi utiliser du papier sulfurisé dont les propriétés sont presque identiques. Il est cependant un peu plus fin et moins solide que le papier-calque. Pour cette sorte de reproduction, il vous faut, en plus du papier, un crayon à pointe souple.

1. Disposez le papier sur le modèle que vous voulez décalquer et suivez toutes les lignes au crayon. Veillez à ce que le papier à décalquer ne se déplace pas.

2. Avant d'ôtez le papier, assurez-vous que vous avez bien reproduit toutes les lignes. Enlevez ensuite le papier calque du modèle.

3. Retournez la feuille de papier et posez-la sur le carton ou le papier sur lequel vous voulez reproduire le modèle.

4. Reproduisez toutes les lignes en appuyant fortement.

Comme vous avez utilisé un crayon à pointe souple, les premières lignes vont adhérer au papier ou au carton et le modèle souhaité va apparaître. Vérifiez si vous avez bien copié toutes les lignes avant de découper l'image.

Comment utiliser cet ouvrage?

Cet ouvrage est divisé en douze chapitres qui comportent chacun une série de suggestions regroupées par thèmes.

Cette présentation vise à aider l'utilisateur à trouver rapidement l'idée de bricolage qui correspond à sa motivation. Naturellement, rien ne l'empêche de procéder d'une toute autre manière. Tous les objets à réaliser étant illustrés par de grandes photos en couleurs, il peut aussi s'inspirer de l'image sans tenir compte des saisons de l'année ou des occasions auxquelles les bricolages se rapportent.

La plupart des matériaux nécessaires pour l'exécution de ces travaux sont très usuels.

Idéalement, il faudrait toujours disposer des articles suivants car nous les utiliserons très fréquemment:

- ciseaux,
- aiguilles à coudre,
- fil,
- crayons à pointe souple,
- taille-crayon,
- gomme,
- règle ou équerre,
- restes de laine,
- restants de tissu,
- papier,
- colle (colle pour bricolage)
- papier-calque ou papier parcheminé,
- carton et restants de carton,
- laque en atomiseur.

Chaque projet de bricolage est accompagné d'une liste de matériaux nécessaires. Il est recommandé de préparer à l'avance tout le matériel requis afin d'éviter d'avoir à interrompre un travail en cours.

Un grand nombre de bricolages sont exécutés à partir de "déchets": pots à yaourt ou rouleaux de papier de toilette vides, par exemple.

Les articles qu'il faut acheter dans un magasin de bricolage sont énumérés et commentés.

Les travaux de bricolage sont de divers degrés de difficulté. Les travaux faciles à la portée d'un enfant de 3 à 4 ans sont encadrés en jaune.

Les travaux qui demandent un peu plus d'adresse sont encadrés en vert.

Les bricolages destinés aux enfants plus âgés, jusqu'à environ 10 ans, sont encadrés en rouge.

Cette division en fonction du degré de difficulté vise à éviter qu'un enfant ne perde l'envie de bricoler parce que l'objectif qu'il comptait atteindre est trop difficile et trop compliqué, et que le résultat ainsi obtenu ne répond pas à ses attentes.

Les plus petits qui ne savent pas encore lire, ont naturellement toujours besoin de l'aide d'un adulte ou d'un aîné. Mais le travail en soi est à ce point facile qu'il a toutes les chances de réussir. Il va de soi que la division en fonction du degré de difficulté, n'a, tout comme la division en chapitres, qu'une valeur indicative. Chacun décide lui-même de ce qu'il va finalement réaliser. L'important est de travailler dans la joie et le plaisir.

Pour éviter des échecs pouvant résulter d'une aptitude insuffisante de l'enfant au dessin, des modèles à décalquer accompagnent tous les dessins présentant des difficultés. Tous les modèles sont imprimés en grandeur nature. Il suffit de les copier. La plupart des modèles à décalquer sont rassemblés en annexe dans le "catalogue des modèles".

La page à laquelle il faut se référer est chaque fois reprise dans les instructions. Tous les modèles sont accompagnés d'une légende et en cas de superposition (due au manque de place), les diverses couleurs permettent aisément de les distinguer.

Nous invitons

De multiples occasions se présentent tout au long de l'année pour envoyer de jolies cartes à ses amis et les inviter à participer à une fête : anniversaire, Noël, etc.
Ce chapitre propose plein d'idées pour que la joie commence dès l'envoi de la carte d'invitation.
Même les petits avec l'aide d'un aîné, pourront réaliser de beaux cartons colorés et pourquoi pas?... en décorer leur chambre.
Diverses techniques sont employées mais la plupart des matériaux pourront être trouvés à la maison.

La technique
du fil

Matériel
- un fil de laine d'environ 50 cm de longueur,
- des gouaches,
- un pinceau,
- une feuille DIN A4, format machine à écrire,
- un ancien annuaire de téléphone ou un vieux catalogue,
- des ciseaux,
- de la colle.

Cette technique abstraite est assez simple et permet d'obtenir de très beaux effets. De plus, vous pouvez laisser libre cours à votre imagination. Vous pouvez faire passer plusieurs fils à travers un même carton d'invitation ou utiliser du papier de couleur.

1. Pliez une feuille de papier DIN-A4 en deux de manière à obtenir le format DIN-A5. Pliez-la une nouvelle fois pour obtenir le format carte postale DIN-A6. Coupez le papier le long des plis. Ainsi vous aurez quatre rectangles de même dimension.

2. Coloriez le fil de laine avec une gouache de votre choix. Tamponnez-le de couleur avec un pinceau humide. Veillez à laisser 5 cm sans couleur pour pouvoir tenir l'extrémité du fil. Le fil doit être bien imprégné de couleur, sans être trop mouillé.

3. Tenez-le au-dessus de l'un des rectangles et laissez-le tomber au-dessus en spirales et en cercles. L'extrémité sèche doit dépasser de l'un des bords du rectangle.

4. Posez un deuxième rectangle sur le premier et glissez le tout dans un annuaire de téléphone.

5. Enlevez le fil de laine en tirant sur l'extrémité qui dépasse. Quand vous ouvrirez votre chef-d'oeuvre, vous aurez deux motifs. Le fil de laine colorié a laissé des traces surprenantes.
Un conseil: plus le fil est sec, plus vous devez appuyer sur l'annuaire téléphonique au moment de le retirer. Appuyez une main sur l'annuaire et tirez le fil de l'autre main.

6. L'image terminée peut être collée sur une carte à double volet que vous aurez fabriquée ou achetée. Inscrivez-y le texte de votre invitation. Faites des découpes le long des bords de vos rectangles imprimés et vous obtiendrez un ravissant tableau.

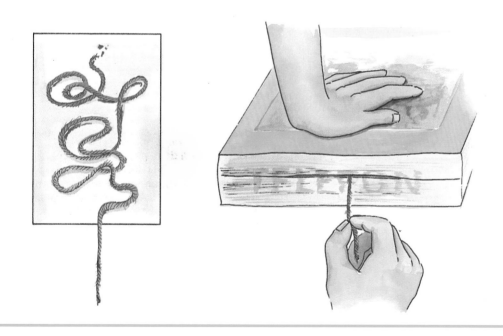

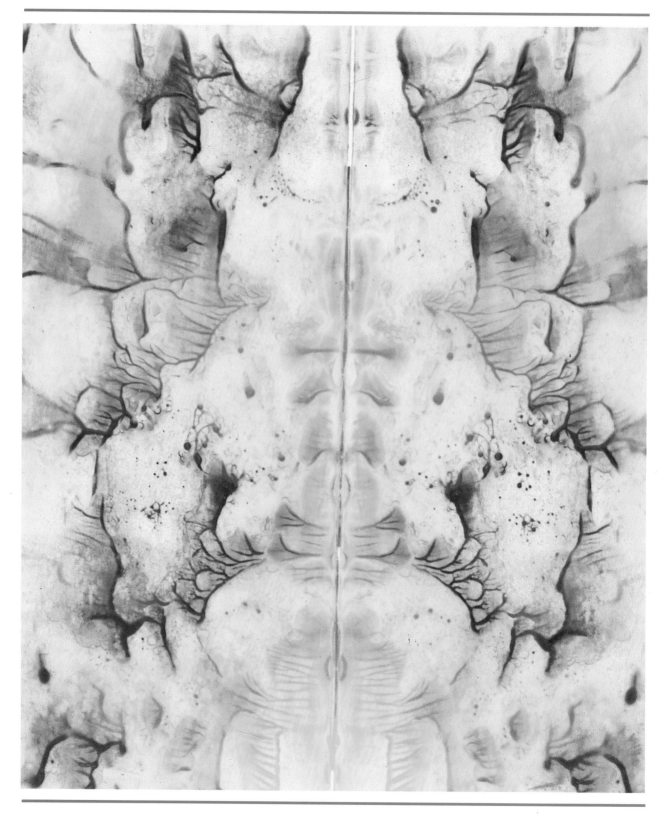

La technique
du repassage

Matériel
- une feuille de papier-calque
- deux cartes blanches, format enveloppe à lettre
- un crayon
- des ciseaux
- des pastels gras
- de vieux journaux
- un fer à repasser
- une règle
- de la colle

2. Coloriez le papier-calque avec des pastels gras. Couvrez toute la surface de motifs, sans laisser de blancs. Etendez vos couleurs en couches épaisses pour bien faire fondre le pastel au moment du repassage.

3. Quand tout est colorié, pliez le papier-calque en deux afin que les faces coloriées soient à l'intérieur. Posez-le sur une pile de journaux et recouvrez-le d'une feuille de papier-journal. Repassez en réglant votre fer sur la position "coton".

4. La chaleur fait fondre le pastel et les couleurs se mélangent. Tant que le pastel est encore liquide, dépliez lentement le papier-calque. Vous obtiendrez des tas de motifs pleins de fantaisie.

5. Coupez votre dessin en deux, le long du pli central. Ainsi vous aurez déjà des images pour deux cartes.

6. Prenez votre règle et tracez un rectangle sur l'image en veillant à ce que tous les bords soient 1/2 cm plus petits que ceux de la carte. Découpez-le soigneusement.

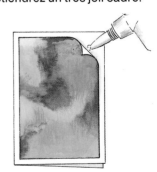

La réalisation de ces cartons d'invitation est très amusante.
Chaque exemplaire sera différent. A la place de simples cartes, vous pouvez aussi utiliser des cartes à double volet afin de disposer de plus de place pour rédiger le texte de votre invitation.

1. Posez les deux cartes l'une à côté de l'autre sur le papier-calque. Tracez doucement les contours au crayon (voir le dessin) et découpez le rectangle.

7. Pour terminer, collez proprement votre image sur la carte. Comme elle est un peu plus petite que celle-ci, vous obtiendrez un très joli cadre.

Une invitation
à croquer

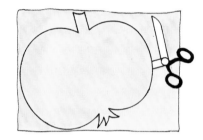

3. Prenez une boîte d'environ 11 cm de diamètre et posez-la sur une moitié de la pomme (voir le dessin). Tracez le contour au crayon.

5. Collez le texte de votre invitation derrière la petite fenêtre.
Le papier avec le texte doit être un peu plus grand que la fenêtre pour que vous disposiez d'une mince bordure où étendre la colle.
Vous pouvez aussi prendre un morceau de papier vierge et inscrire votre texte par la suite.

6. Pour terminer, collez les deux faces de la pomme ensemble en veillant à ce que les deux côtés imprimés soient à l'extérieur.

Ce type de carton d'invitation convient particulièrement bien pour une fête d'été ou pour un anniversaire. Chaque invité répondra certainement avec enthousiasme à une invitation aussi originale.

1. Référez-vous au catalogue pour reproduire la pomme sur du papier-calque et découpez-la ensuite. Reproduisez cette forme sur un morceau de papier peint ou sur du papier pour emballage cadeau.

2. Posez le modèle sur la face imprimée du papier et tracez le contour au crayon. Retournez ensuite la feuille de papier et faites la même chose sur la face non imprimée. Découpez les deux formes pour obtenir deux pommes à contours inversés.

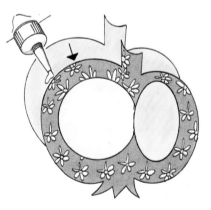

4. Découpez soigneusement le cercle le long de la ligne.
Attention: ne pas découper tout le cercle mais laisser un morceau de papier attaché, grâce auquel la "fenêtre" pourra être ouverte et refermée. (Sur le dessin, cette partie du cercle est en pointillés.)

2. Si vous appuyez légèrement avec l'index sur le point central M, les coins A et C vont se soulever. Prenez-les et repliez-les sur le coin D. Les coins A et C sont maintenant l'un à côté de l'autre et le quatrième point B se dépose de lui-même sur les autres.

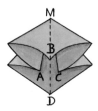

3. Dessinez un cercle autour de la pointe fermée, ainsi qu'autour de la pointe ouverte (veillez à ce que les endroits marqués de rouge soient l'un contre l'autre).
Découpez le corps de votre coccinelle en suivant ces lignes.

Coccinelle pliée

Matériel
- une feuille de papier origami rouge (12 x 12 cm)
- un crayon
- des ciseaux
- un crayon-feutre noir
- une feuille de papier à dessin format DIN-A5
- de la colle

1. Pliez la feuille carrée de papier origami en deux puis en quatre. Après chaque pliage, il faut à nouveau déplier le carré. Retournez la feuille et pliez-la en diagonale, coin sur coin. Dépliez à nouveau le carré et retournez-le.
Les lignes en pointillés du dessin vous indiquent les plis qu'il faut obtenir.

4. Dessinez la tête, les yeux, la bouche et les ailes au feutre noir. La pointe des ailes peut légèrement s'écarter. Il ne vous reste plus qu'à dessiner les petits points au feutre noir.

Cette coccinelle convient particulièrement bien pour une carte d'anniversaire. Le nombre de points peut correspondre à l'âge de l'enfant. C'est aussi une ravissante carte pour une invitation à une fête d'été. La coccinelle terminée doit être collée sur une double carte en papier à dessin d'une couleur assortie.

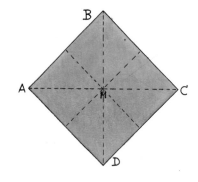

Matériel
- une feuille de papier DIN-A5
- de la colle
- un peu de mousse sèche
- un restant de galon (d'environ 2 à 3 cm de large)
- des ciseaux
- un crayon
- un papier doré ou des restants de papier argenté

Une bougie à galon

Ce carton d'invitation original est facile à réaliser. Vous pouvez aussi en faire une petite carte à accrocher aux cadeaux ou l'utiliser comme carte de Noël.

1. Pliez la feuille de papier en deux pour obtenir une carte à double volet de format DIN-A6.

2. Posez la carte devant vous en veillant à ce que le bord supérieur soit au-dessus. Collez un peu de mousse sur la partie inférieure. Votre bougie à galon va surgir de la mousse.

3. Coupez un morceau de galon en tissu, d'environ 6 cm de long : ce sera votre bougie. Coupez légèrement le bord supérieur en oblique pour donner l'impression que la bougie s'est déjà un peu consumée.

4. Enduisez de colle la face arrière de la bougie en tissu et collez-la sur la carte. Glissez légèrement le pied de la bougie sous la mousse.

5. Il ne manque plus que la flamme. Dessinez au crayon une flamme sur le papier doré ou argenté et découpez-la.

6. Il ne vous reste plus qu'à coller votre petite flamme et voici la bougie de Noël prête à brûler.

Du fil et une aiguille

Cette carte convient très bien pour la Noël.
Vous pouvez naturellement choisir d'autres sujets comme par exemple une cloche, une bougie, un ange ou un Père Noël.

Ceux qui éprouvent des difficultés à dessiner peuvent décalquer les motifs d'une feuille de papier-cadeau ou d'un dépliant publicitaire.

1. Pliez le carton-photo en deux pour obtenir une carte à double volet de format DIN-A6.

2. Suivez les instructions de la page 14 pour décalquer le sapin sur la face avant de la carte à double volet.

3. Prenez une grosse aiguille à coudre et piquez le contour de petits trous espacés d'environ 1 cm.

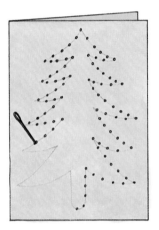

4. Faites passer doucement le fil à travers les trous. Faites un tour complet. Une fois arrivé à votre point de départ, comblez les espaces par un second "tour de couture". Le tracé au crayon doit être entièrement recouvert.

5. Les extrémités du fil de laine doivent être nouées au verso.

6. Inscrivez le texte de votre invitation à l'intérieur de la carte à double volet ou collez-y un feuillet pour le texte.

Matériel
- du papier-calque
- un crayon
- une feuille de papier cartonné format DIN-A5
- des ciseaux
- une feuille de papier blanc DIN-A4
- de la peinture vinyle
- un rouleau de caoutchouc
- un morceau de carrelage ou une vieille vitre.

Des cartes imprimées

Comme la peinture vinyle ne s'enlève que très difficilement, mettez un tablier ou une vieille chemise d'homme pour protéger vos vêtements. Recouvrez votre surface de travail de vieux journaux ou d'une ancienne nappe cirée.

Avec cette technique vous pouvez naturellement imprimer n'importe quel autre motif.

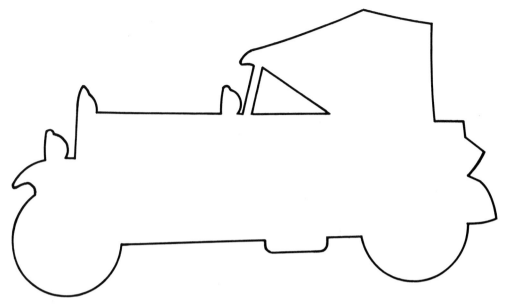

modèle à décalquer

1. Décalquez l'auto sur le carton. (Ceux qui préfèrent le coq de la page voisine, trouveront le modèle à la page 222 du catalogue).

2. Pliez la feuille de papier blanc en deux de manière à obtenir une carte à double volet de format DIN-A5.

3. Etendez un peu de peinture vinyle sur le morceau de carrelage jusqu'à ce que le rouleau soit uniformément enduit. (A la place du morceau de carrelage vous pouvez aussi utiliser n'importe quelle autre surface imperméable comme par exemple une vieille vitre).

4. Glissez le modèle à l'intérieur de la carte (veillez à ce qu'elle soit dans le bon sens) et passez le rouleau dans tous les sens sur la face avant, jusqu'à ce que votre motif apparaisse clairement.

5. Après utilisation, le rouleau doit être rincé à l'eau courante.

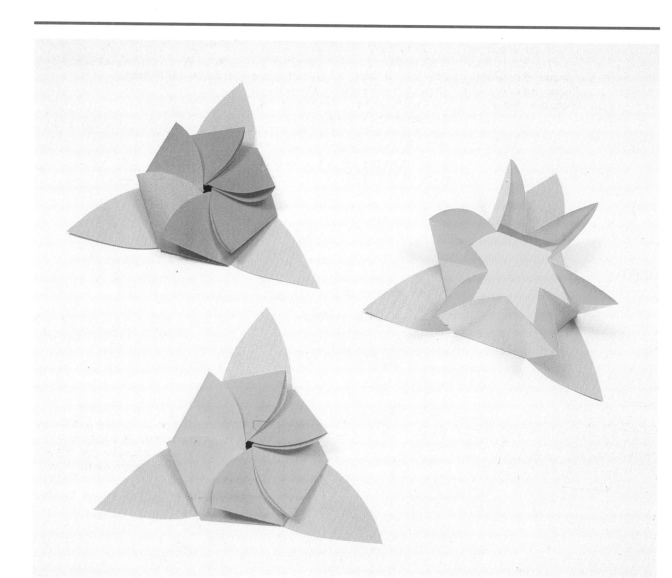

Matériel
– un crayon
– du papier-calque
– des restants de papier à dessin rouge et vert
– des ciseaux
– de la colle.

Dites-le avec des fleurs

A première vue, il est impossible de voir que cette fleur contient une invitation. Ce n'est qu'au moment de la floraison qu'elle va vous révéler son secret. Ces fleurs sont également ravissantes comme cartons de table.

1. Suivez les instructions de la page 14 pour décalquer la forme de la fleur et les pétales selon le modèle de la page 222 du catalogue. Reproduisez la fleur sur du papier à dessin rouge et les pétales sur du papier à dessin vert. Découpez les deux motifs.

2. Suivez les lignes du dessin en pointillés et pliez trois fois la fleur. Après chaque pliage, dépliez-la à nouveau. Ainsi vous obtiendrez un pli au milieu de chaque "pétale".

4. Maintenant, il faut plier la fleur. Veillez à ce que l'hexagone soit à plat sur la table. Prenez l'un des pétales entre le pouce et l'index au niveau du pli. Redressez-le verticalement et couchez-le sur le côté gauche en suivant le pli. Procédez de la même manière avec les six pétales jusqu'à ce que la fleur soit complètement fermée.

5. Collez la fleur hexagonale sur le calice vert à trois feuilles, comme indiqué sur le dessin.

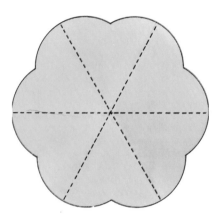

3. Pliez ensuite les pétales deux par deux vers l'intérieur et dépliez-les à nouveau. (Suivez les lignes du dessin en pointillés.) Un hexagone va apparaître au milieu du pétale.

6. Dépliez prudemment la fleur et inscrivez le texte de votre invitation à l'intérieur. Refermez ensuite les pétales et voici votre carton d'invitation terminé!

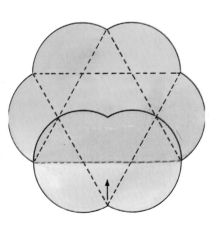

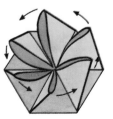

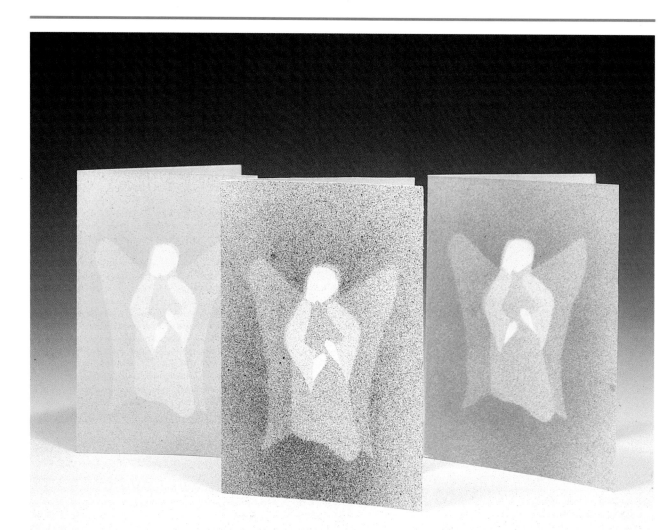

Cartes de noël

Matériel
- du papier-calque
- un crayon
- une feuille cartonnée DIN-A5
- des ciseaux
- une feuille de papier blanc DIN-A5
- un tamis
- une vieille brosse à dents
- des gouaches.

Ce bricolage requiert beaucoup d'adresse car la finition exige précision et exactitude.
Mieux vaut réaliser d'abord une carte à titre d'essai.

Si vous voulez réaliser plusieurs cartes, prévoyez plusieurs modèles car chacun d'eux devra être découpé.

1. Reproduisez le dessin de l'ange sur le carton, d'après le modèle de la page 223 du catalogue (suivez les instructions de la page 14 pour décalquer les modèles).

Veillez à tracer toutes les lignes pour les ailes, les bras, les mains, la robe, le visage et la chevelure. Découpez ensuite le contour de l'ange.

2. Posez le modèle en carton sur la feuille de papier blanc DIN-A5.

Trempez doucement la brosse à dents dans la gouache et pulvérisez la couleur sur le papier, à l'aide du tamis.

(Référez-vous à la page 218 pour les instructions précises concernant la technique de pulvérisation). Le carton est suffisamment lourd pour rester en place sans fixations. Quand vous retirez votre modèle, l'ange apparaît en blanc.

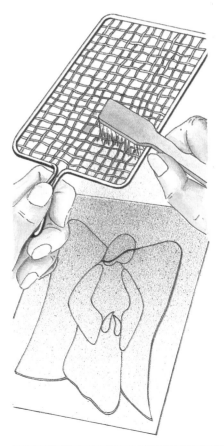

3. Coupez les ailes de l'ange. Placez votre modèle exactement au même endroit et pulvérisez la même couleur sur toute la feuille de papier. Les ailes ont une coloration plus claire que le reste du papier car celui-ci a déjà été passé deux fois au tamis.

4. Découpez les bras. Maintenant votre modèle ne comporte plus que le visage, la chevelure, les mains et la robe. Disposez-le à nouveau exactement à l'endroit d'origine. Pulvérisez-le. Vous obtiendrez une gradation de couleur supplémentaire qui s'étendra du fond sombre jusqu'au dessus des ailes et des bras.

5. Pour terminer, coupez la chevelure et la robe. Il vous reste trois parties: le visage et les deux mains. Placez-les au bon endroit et pulvérisez une dernière couche sur le papier.

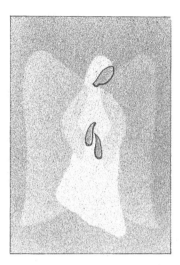

6. Après avoir ôté le visage et les mains, il n'y a plus que ces parties qui apparaissent très clairement. Le corps de l'ange a l'air de sortir du brouillard. Ceci donne l'impression qu'il s'agit d'un être venu d'une autre planète.

C'est l'hiver!

Quand dehors la tempête fait rage et qu'il neige, quand les journées raccourcissent et que les soirées deviennent plus longues; c'est le temps idéal pour rester bien au chaud chez soi et pour bricoler avec toute la famille. Comme c'est aussi la saison durant laquelle la nature hiberne, nous devons puiser dans nos propres réserves de matériaux pour décorer la maison. Les fenêtres sont ornées de frêles flocons de neige, d'amusants bonshommes de neige qui ne fondent pas sont suspendus au plafond et le grand portrait de Dame Holle peut être réalisé par toute la famille.
En hiver, le temps ne se prête guère aux jeux d'extérieur et les enfants sont souvent contraints à passer des journées entières à la maison. Le bricolage en groupe est alors le meilleur moyen d'éviter l'ennui et la mauvaise humeur. Et une fois que l'envie de bricoler vous a gagné, rien ne vous empêche de feuilleter les autres chapitres de ce livre pour vous inspirer des idées de bricolage qui y sont exposées.

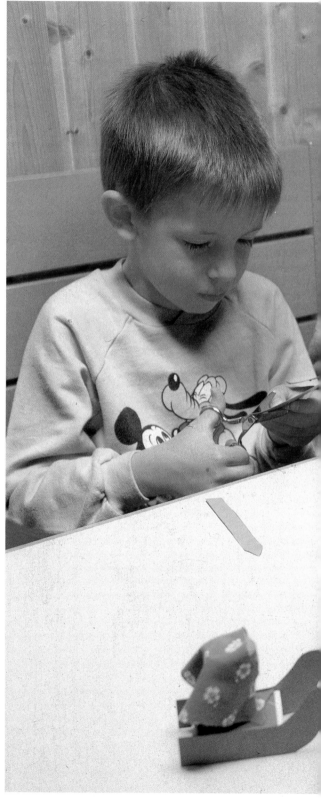

Matériel
– du papier-calque
– un crayon
– un carton blanc de format
  DIN-A3
– des ciseaux
– de l'ouate
– du fil à coudre blanc
– une aiguille à coudre.

Nuage de neige

Ce bricolage peut déjà être réalisé par de jéunes enfants qui viennent de se familiariser avec l'usage des ciseaux. Si vous vous sentez assez habile, dessinez le nuage sans copier un modèle. Pour obtenir un effet particulièrement ravissant, suspendez plusieurs nuages dans la pièce à des hauteurs différentes.

1. Décalquez le nuage sur le carton blanc d'après le modèle et découpez-le (suivez les instructions de la page 14 pour décalquer les modèles).

2. Coupez 5 à 7 fils de longueurs différentes.

3. Prenez l'ouate et faites-en une série de flocons.
Enfilez l'aiguille et nouez l'extrémité du fil. Piquez l'aiguille à travers le fil jusqu'au noeud. Enfilez le flocon suivant à proximité du premier et continuez de la sorte jusqu'à ce que le fil soit plein de flocons.

4. Faites passer l'aiguille à travers le bord inférieur du nuage. Tirez sur l'extrémité du fil et faites un noeud.

5. Fixez de la même manière 5 à 7 fils de flocons d'ouate le long du bord du nuage.

6. Pour terminer faites passer deux fils à travers le bord supérieur du nuage et attachez-les au plafond avec des punaises.

Skieurs

Les skieurs font souvent partie d'un paysage hivernal. Si vous construisez en plus une montagne de papier ou d'ouate, ils pourront la descendre à toute vitesse jusque dans la vallée.

1. Décalquez le contour du skieur d'après le modèle de la page 222. Reportez-le ensuite sur votre carton (voir page 14 pour décalquer des modèles) et découpez-le.

2. Coloriez-le avec des crayons de couleur en commençant par la face avant.
Le petit bourrelet de la tête vous indique jusqu'où va le bonnet. Coloriez-le et dessinez le visage dessous.
Le reste du corps est emmitouflé dans une combinaison de ski d'une couleur de votre choix.

Matériel
- une feuille de papier-calque
- un crayon
- du papier fort ou du carton blanc mince (format DIN-A5)
- des ciseaux
- des crayons de couleur
- une règle
- de la colle
- deux cure-dents.

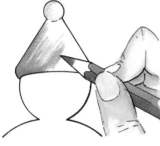

3. La face arrière de la combinaison de ski doit être coloriée de la même manière que la face avant.
Mais au lieu de dessiner un visage sur la tête, faites apparaître des cheveux sous le bonnet.

4. Pour les skis, découpez deux bandes de papier d'environ 13 cm de longueur et de 1,5 cm de largeur. Coupez les deux côtés de l'une des extrémités de la bande en forme de pointe. Coloriez ensuite les skis.

5. Pliez environ 1 cm du bas des jambes de votre skieur vers l'avant et collez chacun de ses "pieds" sur un ski.

6. Pour lui permettre de démarrer, munissez-le de bâtons de ski. Découpez deux cercles de la taille d'une petite pièce de monnaie et faites-les passer chacun à travers un cure-dent. Glissez l'autre extrémité du cure-dent dans la "main" du skieur. Les cercles peuvent aussi être coloriés auparavant.

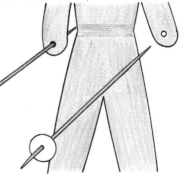

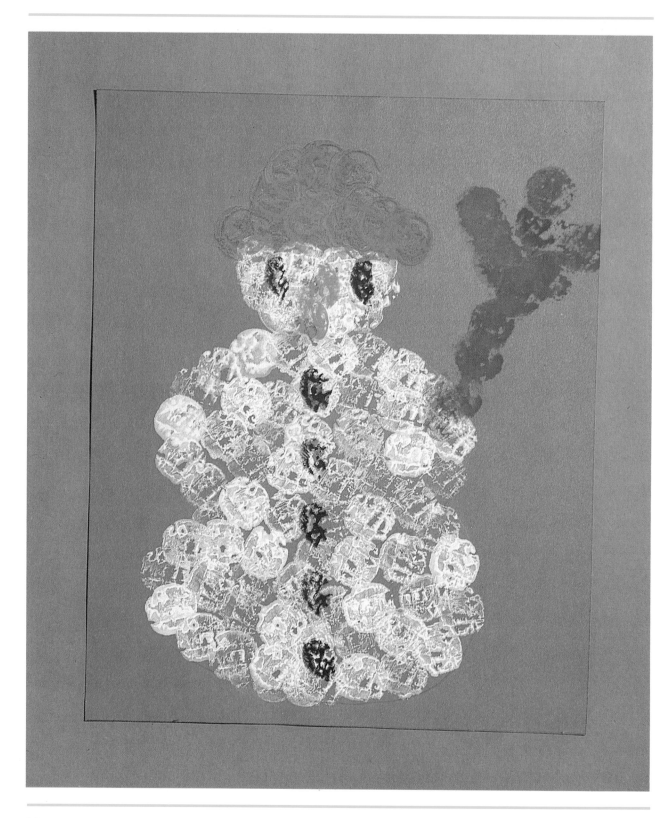

Bonhomme de neige imprimé au bouchon

Matériel
- une feuille de papier à dessin DIN-A4 de couleur sombre
- un crayon
- un boîte de gouaches
- un pinceau
- 4 à 5 bouchons de bouteilles de vin
- une feuille de papier à dessin DIN-A3, d'une couleur assortie à la feuille de format inférieur
- de la colle
- des ciseaux.

L'impression au bouchon est une technique très simple qui ressemble au "timbrage". Cette technique vous permet naturellement de réaliser d'autres motifs que le bonhomme de neige qui vous est proposé ici. Veillez simplement à choisir des objets aux contours précis et nets et procurez-vous un bouchon pour chaque couleur à imprimer.

1. Commencez par esquisser au crayon sur le papier à dessin un bonhomme de neige schématique avec un chapeau et un balai. Mieux vaut choisir du papier à dessin sombre qui contraste bien avec le bonhomme de neige blanc.

3. Appuyez plusieurs fois le bouchon peint sur le ventre du bonhomme de neige. Vous obtiendrez des motifs imprimés de différentes nuances car la quantité de couleur diminue à chaque impression au bouchon. Ceci donne à cette technique un attrait particulier. Imprimez au-delà du contour au crayon afin que celui-ci disparaisse presque complètement.

4. Une fois que le ventre, la poitrine et la tête sont complètement imprimés en blanc et que la couleur est sèche, prenez d'autres bouchons pour imprimer dans une couleur de

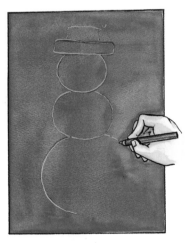

2. Avec un peu d'eau et un pinceau, enduisez le côté arrondi du bouchon de gouache blanche.

votre choix le chapeau, le balai, le visage et les boutons.

5. Pour que votre tableau hivernal soit particulièrement réussi, collez l'image terminée sur la feuille de papier à dessin DIN-A3. Découpez le bord afin d'obtenir un cadre d'environ 4 cm de largeur. (Les jeunes enfants devraient demander l'aide d'un adulte)

Matériel
- un petit restant de tissu
- un crayon
- une règle
- un bouchon de bouteille à champagne en liège
- de la colle
- des crayons-feutres
- une boîte d'allumettes vide
- un peu de papier-calque
- du carton mince ou du papier fort

Petite fille en luge

Cette petite fille en luge au foulard multicolore convient très bien pour un paysage hivernal blanc, construit en papier ou en ouate. Si les couleurs du foulard de la petite fille sont en harmonie avec la couleur des patins de la luge, l'effet sera d'autant plus ravissant.

1. Le restant de tissu sert à confectionner le foulard de la petite fille. Avec le crayon et la règle tracez un triangle rectangle sur l'envers du tissu et découpez-le. Pour les mesures et la forme du triangle, référez-vous au dessin ci-dessous.

3. Avec les crayons-feutres dessinez le visage: les yeux, la bouche et deux points à la place du nez.

5. Enduisez de colle les deux bords rugueux de la boîte d'allumettes et collez un patin de chaque côté.

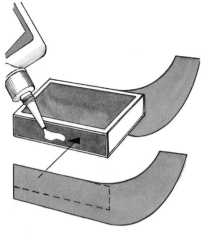

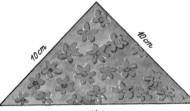

2. Posez le foulard sur la partie arrondie du bouchon de manière à ce que deux pointes se croisent devant et collez-les ensemble.

4. Le carton ou le papier fort sert à confectionner les patins de la luge. Décalquez deux fois le modèle ci-dessous sur du carton et découpez les patins.

6. Pour terminer, enduisez également de colle le dessous du bouchon et posez votre petite fille sur la luge.

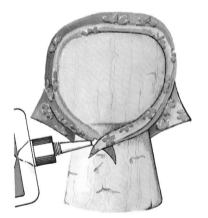

patins de luge,
décalquer deux fois

modèle à décalquer.

Mobile de bonshommes de neige

Matériel
- une feuille de papier à dessin blanc de format DIN-A3
- une soucoupe et une assiette d'un service à café
- un crayon
- des ciseaux
- une feuille de papier à dessin noir de format DIN-A4
- de la ficelle blanche
- des aiguilles à repriser pointues
- un crayon-feutre orange.

2. Dessinez un chapeau au crayon sur le papier noir. Chacun peut choisir le modèle de chapeau qu'il préfère. Votre bonhomme de neige portera aussi bien le haut-de-forme que le chapeau mou ou le bonnet à pointe (pour la taille, référez-vous à la soucoupe).

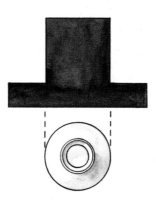

Durant la saison hivernale, ce mobile est une très jolie décoration d'intérieur. Grâce aux différents bonnets et coloriages, vous pouvez obtenir des personnages très typés.

Ces bonshommes de neige peuvent aussi être suspendus au milieu des nuages. (cf. page 36 pour le nuage de neige).

1. Posez l'assiette et la soucoupe sur le papier dessin blanc et tracez les contours au crayon.

3. Dans le reste du papier, découpez 8 à 10 formes ovales d'environ 2 cm de long. Elles serviront par la suite de morceaux de charbon.

4. Collez 3 à 4 "boutons de charbon" sur le ventre (grand cercle: cf la photo de la page voisine).
Utilisez les morceaux de charbon qui restent pour coller les yeux et la bouche sur la tête (petit cercle).
Dessinez le nez avec le crayon-feutre orange (cf. la photo).

5. Enfilez le fil et faites le passer à travers le milieu du bord inférieur du chapeau ainsi qu'à travers le milieu de la partie supérieure de la tête (cf. le dessin).

Nouez les deux extrémités du fil de manière à relier souplement le chapeau et la tête. Chaque partie doit pouvoir tourner facilement

6. Procédez de la même façon pour la tête et le ventre.

7. Faites passer un fil par le milieu du bord supérieur du chapeau afin de pouvoir suspendre votre bonhomme de neige au plafond.

8. Attachez le fil au plafond avec une punaise et voilà votre bonhomme de neige prêt à voltiger à travers la pièce.

Pingouin à bascule

Matériel
– une feuille de papier à dessin
  blanc de format DIN-A4
– une feuille de papier à dessin
  noir de format DIN-A4
– un crayon
– du papier-calque
– des ciseaux
– de la colle
– un crayon-feutre noir

Ce petit pingouin à bascule est particulièrement décoratif. Vous pouvez aussi l'utiliser comme carton de table à l'occasion d'un anniversaire ou de toute autre fête célébrée en cette saison.

1. Prenez la feuille de papier à dessin blanc et pliez-la en deux de manière à obtenir le format DIN-A5.

2. Décalquez les contours de la face arrière du pingouin sur du papier à dessin blanc, d'après le modèle de cette page (voir page 14 pour décalquer des modèles).

Veillez à ce que la partie plate de la tête coïncide avec le bord plié du papier à dessin (cf le dessin).

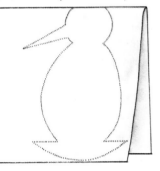

3. Découpez le pingouin. Veillez à ne pas couper en deux le bord plié le long de la tête car à cet endroit la face avant et la face arrière du pingouin à bascule sont maintenues ensemble.

4. Décalquez sur du papier à dessin noir les parties en gris de la face avant du pingouin et découpez-les. Collez-les sur l'un des côtés de votre oiseau. Le modèle vous montre où doivent se trouver les différentes parties.

5. Décalquez sur du papier à dessin noir les parties en gris de la face arrière du pingouin et découpez-les. Collez-les comme indiqué sur le modèle ci-dessus.

6. Pour terminer, dessinez les yeux au crayon-feutre noir. Dépliez légèrement votre pingouin et mettez-le debout. Si vous lui donnez un petit coup, il commencera à se balancer.

Petits flocons de neige

Matériel
- une feuille carrée de papier blanc de 15 x 15 cm
- un crayon
- des ciseaux
- un restant de papier de soie blanc
- de la colle
- du papier collant transparent

Quand les premières chutes de neige se font attendre, rien ne vous empêche de déjà faire régner une atmosphère hivernale dans la maison en décorant vos fenêtres de jolis cristaux de givre. Dans la nature, aucun de ces cristaux ne se ressemble et vos fenêtres seront particulièrement ravissantes si vous y suspendez des tas de motifs différents.

Chaque étoile de glace peut avoir une taille distincte.

1. Pliez votre feuille de papier car-rée en triangle, en superposant deux pointes.

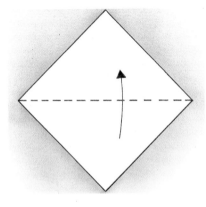

2. Pliez avec précision la pointe B sur pointe A.

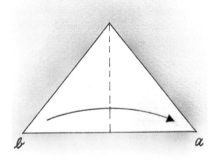

3. Pliez de la même manière la pointe C sur la pointe D.

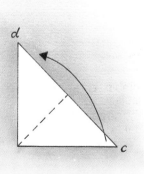

4. Tournez le triangle ainsi obtenu (en pointillés sur le dessin) de manière à ce que le côté ouvert, le long duquel le papier n'est attaché à aucun endroit, soit exactement en face de vous (cf le dessin).

5. Dessinez le motif de votre cristal de neige. Commencez par tracer les contours des "rayons" le long du côté ouvert. Chaque cristal peut avoir un aspect différent. Le dessin n'a qu'une valeur indicative.

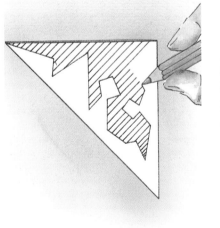

6. Dessinez des petits motifs le long des deux côtés fermés.

7. Découpez les contours et les motifs hachurés et dépliez le tout. Découpez ensuite les parties hachurées et les motifs et dépliez le tout.

8. Pour terminer, collez l'étoile sur du papier de soie. Coupez les parties de papier de soie qui dépassent et fixez le flocon de neige sur la fenêtre à l'aide de papier collant.

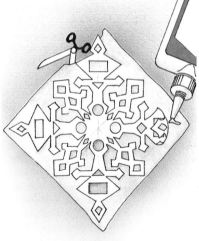

Dame Holle

Quand il se met à neiger très fort et que tout est recouvert de blanc, les gens racontent souvent le conte de la Dame Holle qui secouait tellement fort ses oreillers qu'elle faisait tomber la neige sur toute la terre. Le tableau que vous allez réaliser illustre ce conte. A la maison, vous trouverez certainement des restants de rideaux et de tissus. Inspirez-vous de la photo pour rassembler tout ce dont vous aurez besoin.

1. Etendez de la colle le long du bord supérieur du papier et collez-y une bande de rideau de 10 à 15 cm de large et d'environ 80 cm de long. Comme la bande est un peu plus longue que la feuille de papier, pliez-la au moment de la coller.

2. Choisissez un restant de tissu clair pour la tête de Dame Holle. Posez la soucoupe (ou le plat) sur le tissu et tracez le contour au crayon. Découpez ensuite le cercle (tête) et collez-le sur le papier, juste en-dessous du rideau.

3. Pour les yeux, découpez deux petits et deux grands cercles dans un restant de tissu. Collez le petit cercle sur le plus grand pour former un oeil et collez-le sur la partie supérieure du visage.
Collez le deuxième oeil à côté du premier en laissant un espace entre les deux.
Le nez est triangulaire ou en forme de goutte et doit être collé entre les yeux avec la pointe vers le haut.
La bouche à la forme d'un croissant de lune pour donner à Dame Holle une expression joyeuse et souriante.

Matériel
- une feuille de papier fort bleue, grise ou brune (100 x 70 cm)
- des restants de rideaux
- de la colle
- des ciseaux
- une soucoupe ou un petit plat d'environ 18 cm de diamètre
- des restants de tissus
- un crayon
- une règle
- des restants de fourrure ou de laine.

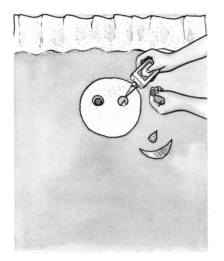

4. Prenez la règle et tracez un carré de 18 x 18 cm sur un morceau de tissu à motifs un peu plus vifs. Ce carré constitue la partie supérieure du corps. Découpez-le et collez-le directement sous la tête.

5. Les manches sont faites à partir de deux rectangles de 32 cm de long et de 15 cm de large. Dessinez et découpez-les, puis attachez-les aux épaules en les plissant pour qu'elles soient bien bouffantes. Collez-les ensuite en arc de cercle vers le bas en plissant également leurs extrémités.

6. Collez l'oreiller le long des extrémités des manches. Pour le confectionner, prenez un restant de tissu et découpez-le en forme de coussin (dimension: 36 x 30 cm). Le coussin peut être bordé de fines bandes de rideaux. Celles-ci doivent être collées autour du coussin en les plissant légèrement.

7. Il vous faut maintenant encore deux morceaux de rideaux d'un même motif, de 85 cm de long et 25 cm de large. Ceux-ci doivent être collés de part et d'autre du personnage, le long du bord supérieur de l'image. Ce sont les rideaux de la fenêtre de Dame Holle. Drapez légèrement le haut des rideaux de manière à obtenir des plis harmonieux.

8. A la hauteur du coussin, reliez chaque rideau avec un ruban de tissu. A cet endroit, collez les rideaux à gauche et à droite du bord. Pour leur donner un aspect aéré et souple, coupez les bas en ligne droite.

9. Les cheveux sont faits de restants de laine ou de fourrure, qu'il suffit de coller.

Pour confectionner le foulard, posez une soucoupe sur un restant de tissu qui soit en harmonie avec les autres et tracez un demi-cercle.

Dessinez un autre demi-cercle à l'intérieur du premier en laissant un espace de 6 cm entre les deux. Terminez le dessin par deux pointes, comme sur la photo.

Collez ce "foulard" autour de la tête et nouez les extrémités sous le menton.

10. Pour les flocons de neige, découpez un vieux rideau en tas de petits morceaux que vous collez sur toute l'image en veillant à les répartir uniformément.

11. Fixez l'image terminée au mur avec des punaises ou du papier collant.

Vive le Carnaval!

La période du carnaval correspond aussi aux derniers jours de l'hiver, et dans beaucoup de régions c'est avec joie que l'on prend congé de cette saison la plus froide de l'année. Chacun veut se déguiser de la façon la plus originale, les rues sont animées par des cortèges et un peu partout la fête bat son plein.
Ce chapitre contient des tas de suggestions pour réaliser des costumes à partir de matériaux bon marché. Une fois que chacun a enfilé un déguisement amusant, la fête du carnaval peut commencer. Pour que l'ambiance soit vraiment réussie, décorez les pièces d'ornements que vous aurez confectionnés vous-même. Vous pouvez tout préparer à l'avance ou bricoler vos éléments décoratifs avec vos invités pendant la fête.

Masques en assiettes

Matériel
- une assiette ronde en carton blanc
- des peintures à doigts
- un pinceau
- des ciseaux
- une aiguille à repriser
- des gouaches
- de la ficelle

Pour la fête du carnaval, confectionnez un masque avec lequel personne ne pourra vous reconnaître. Une fois la fête terminée, le masque peut servir de décoration murale.

1. Avant de commencer, enfilez un tablier ou une vieille chemise de votre père. Recouvrez aussi la table de journaux ou d'une toile cirée.

2. Coloriez l'arrière de l'assiette avec les doigts ou peignez-la au pinceau, en laissant libre cours à votre imagination. Le visage peut avoir une expression amusante ou effrayante. Il peut être barbu ou avoir de très longues dents. Le Chinois a des yeux bridés. Si vous dessinez une princesse, n'oubliez pas la couronne et le pirate doit absolument porter une oeillère.

3. Les yeux, le nez et éventuellement la bouche, doivent être découpés dès qu'ils sont secs.

4. A l'aide de l'aiguille à repriser, percez des petits trous à gauche et à droite du bord de votre masque. Faites passer une ficelle à travers les trous pour pouvoir attacher votre masque en carton derrière la tête.
Et vous voilà prêt pour la fête du carnaval!

Costumes en sacs-poubelles

Matériel
- un sac-poubelle en papier
- des crayons-feutres
- des ciseaux
- des gouaches
- un pinceau épais

Malheureusement les sacs-poubelles en papier ne sont pas en vente partout. Dans certaines régions il n'existe que des sacs-poubelles en plastique. Ne les utilisez en aucun cas, car vous risqueriez d'étouffer à l'intérieur. Procurez-vous plutôt chez l'épicier ou le boulanger un grand sac d'emballage ou un sac à farine.

1. Enfilez le sac-poubelle en papier. Demandez l'aide d'un autre enfant ou d'un adulte pour marquer au crayon-feutre l'emplacement des yeux et des emmanchures.

2. Sortez de votre sac et découpez les yeux et les emmanchures. Veillez à ce que ces dernières ne soient pas trop étroites!

3. Pour peindre votre costume, posez-le par terre. Auparavant, recouvrez bien le sol de journaux. Commencez par la face avant. Dessinez un visage amusant en vous servant des yeux et des emmanchures comme points de repère.

4. Chacun peut peindre son sac comme il lui plaît.
La photo ci-dessus vous montre deux déguisements. Celui de droite avec des yeux bordés de très longs cils et une énorme cravate pendille sur le ventre. Le sac de gauche a été décoré avec des motifs géométriques.

5. Quand la face avant est terminée et que la couleur est sèche, retournez le sac et peignez la face arrière.

6. Pour que vous puissiez facilement vous mouvoir dans votre costume, découpez des franges d'environ 20 cm le long du bord inférieur.

7. Pour les grands enfants, il faut découper un trou pour la tête dans le fond du sac-poubelle.
Pour les petits enfants, il faut raccourcir le sac d'environ 20 cm afin qu'il ne soit pas trop long.
Complétez le déguisement qui laisse apparaître la tête par un masque en carton. (cf. page 58)

Matériel
– cinq carrés de 20 x 20 cm de
  papier origami de différentes
  couleurs
– de la colle
– une aiguille
– du fil

Guirlandes multicolores

La forme pliée de cette guirlande est connue dans certaines régions sous le nom de "ciel et enfer". En disposant ces formes en rangées multicolores vous obtiendrez de jolies guirlandes.

1. Pliez un carré en deux en suivant la ligne horizontale puis dépliez-le. Pliez-le ensuite le long de la ligne verticale. Dépliez-le à nouveau pour obtenir quatre carrés de même dimension, comme sur le dessin.

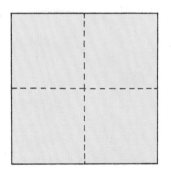

2. Repliez les quatre coins, l'un après l'autre, vers le centre, comme indiqué sur le dessin. Vous obtiendrez à nouveau un carré. Retournez-le de façon à ce que les coins non repliés soient sur la table.

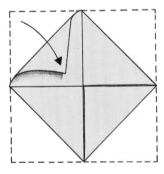

3. Repliez à nouveau les quatre coins vers le centre pour obtenir un autre carré de dimension inférieure.

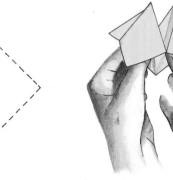

4. Retournez également ce dernier carré, vous constaterez que vous avez obtenu quatre "poches carrées"

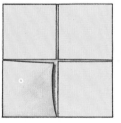

5. Pliez la forme transversalement et verticalement en son milieu afin de pouvoir la déplier facilement par la suite.

6. Glissez l'index et le pouce de chaque main dans les quatre poches.

7. Votre première forme est terminée. Rangez-la et bricolez au moins 5 formes identiques.

8. Collez les formes les unes sur les autres avec de la colle, comme indiqué sur le dessin.

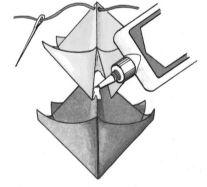

9. A l'aide de l'aiguille, faites passer un fil à travers la dernière forme afin de pouvoir suspendre votre guirlande multicolore.

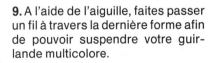

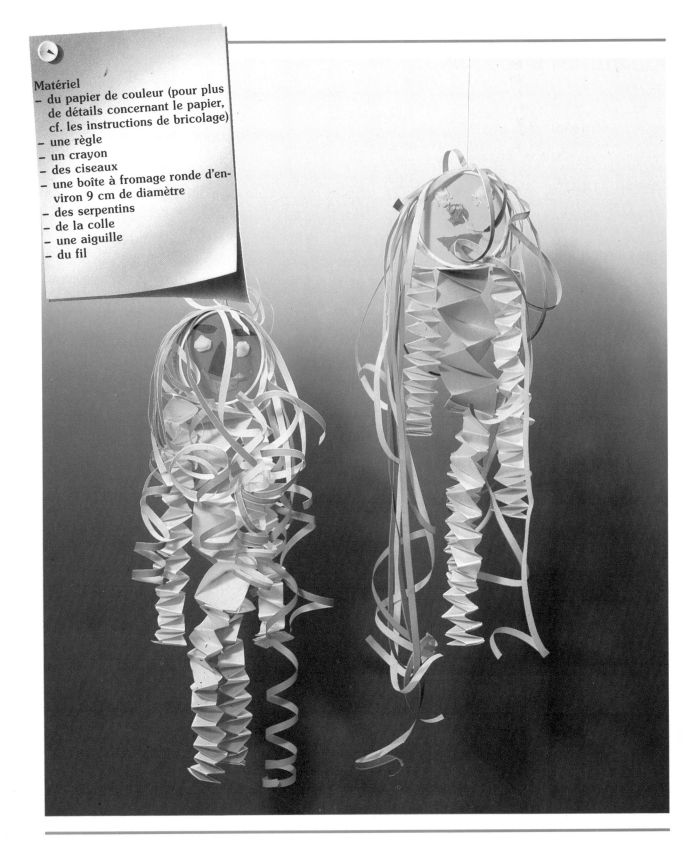

Matériel
- du papier de couleur (pour plus de détails concernant le papier, cf. les instructions de bricolage)
- une règle
- un crayon
- des ciseaux
- une boîte à fromage ronde d'environ 9 cm de diamètre
- des serpentins
- de la colle
- une aiguille
- du fil

Pantin en accordéon

Ce pantin élastique est très amusant, quelles que soient sa taille et sa forme. Chez un imprimeur ou un relieur, vous obtiendrez gratuitement toutes sortes de déchets et de bandelettes de papier.

Si vous n'avez pas cette possibilité, prenez du papier pour emballage cadeau ou du simple papier de couleur et découpez-le en bandelettes.

1. A l'aide de la règle et du crayon, tracez sur le papier les bandelettes dont vous avez besoin pour votre pantin.
Découpez-les ensuite. Il vous faut:
– 2 bandelettes de 50 cm de long et de 4 cm de large pour le corps
– 8 bandelettes de 100 cm de long et 4 cm de large pour les bras et les jambes

2. Collez les deux bandelettes de 4 cm de large (a et b sur le dessin) l'une sur l'autre en équerre, pour éviter qu'elles ne glissent.

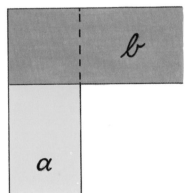

3. Pliez la partie a sur la partie b, puis la partie b sur la partie a et ensuite à nouveau la partie a sur la partie b. Continuez de la sorte jusqu'à l'extrémité de la bandelette. Fixez la dernière pliure avec de la colle et voici le corps de votre pantin terminé.

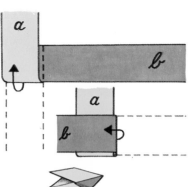

4. Procédez de la même manière avec deux bandelettes plus étroites pour former les jambes du pantin (il faut deux bandelettes par jambe). Fixez les extrémités avec de la colle et collez les jambes au corps (cf. le dessin).

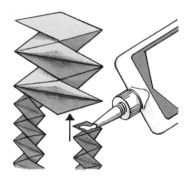

5. Pour les bras, pliez les bandelettes en accordéon en suivant toujours le même procédé. Ne pliez pas les bandelettes jusqu'aux extrémités, de manière à obtenir deux épaules. Fixez les bras avec de la colle à la partie supérieure du corps.

6. Collez la boîte à fromage ronde sur les épaules: c'est la tête de votre pantin. Pour qu'il ait un visage comique, collez des petits morceaux de papier de couleur sur la boîte (cf. le dessin).

7. Pour la chevelure, prenez des serpentins de différentes longueurs et couleurs. L'arrière de la tête peut être entièrement recouvert mais le visage doit naturellement rester dégagé.

8. A l'aide de l'aiguille, faites passer un fil à travers la boîte à fromage pour pouvoir suspendre le pantin au plafond ou à un lustre. A chaque courant d'air, il va se mouvoir.

Masque
en carton

Matériel
- un carton assez haut et étroit qui puisse passer facilement au-dessus la tête
- un crayon
- des ciseaux
- des gouaches
- un pinceau épais
- de la colle
- des restants de laine
- 10 rouleaux de papier de toilette vides
- 2 boîtes plates
- environ 60 capsules
- de la ficelle pour emballages.

Déguisez-vous avec ce masque en carton et baladez-vous à travers les rues de votre quartier. Personne ne pourra vous reconnaître. Vous verrez, c'est très amusant!

1. Faites-vous aider par un ami ou par un adulte. Posez le carton sur la tête et indiquez avec l'index de chaque main l'endroit où se trouvent les yeux sous le masque. Celui qui aide doit tracer deux grands cercles au crayon autour des deux doigts. Otez le carton et découpez les orifices pour les yeux. Si vous avez envie, dessinez également une bouche et découpez-la.

2. Tout ce qui suit relève de votre propre fantaisie. Coloriez la boîte en carton et décorez-la avec tout le bric-à-brac que vous avez sous la main: des copeaux de bois peuvent devenir des cheveux et avec des rouleaux de papier de toilette vous pouvez facilement réaliser une épaisse tignasse bouclée...

3. La photo ci-dessus vous montre, à titre d'exemple, un masque en carton avec une bouche en zig-zag et des yeux en losange.
Des rouleaux de papier de toilette ont été collés sur le masque en guise de coiffure bouclée.
A gauche et à droite de cette "coiffure" nous avons collé des bouts de laine pour former une frange.
Deux boîtes plates constituent les oreilles. Pour attacher les boîtes au masque, nous les avons trouées à l'aide d'un ouvre-boîte. Puis nous avons fait passer un bout de ficelle à travers l'orifice pour les fixer au masque.
Les "boucles d'oreille" sont faites à partir de tas de capsules trouées reliées par une ficelle. A chaque mouvement de la tête, elles produisent un tintement sonore.

Noeud papillon

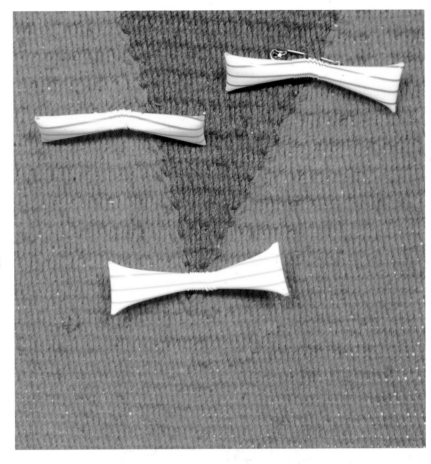

Matériel
- une paille à "coude" pouvant être pliée
- une règle
- des ciseaux
- une petite épingle de sûreté.

Ce noeud papillon peut servir d'accessoire pour un costume de carnaval ou être simplement utilisé comme une épingle amusante.

1. Prenez une paille et coupez les extrémités de manière à ce qu'il ne reste que 6 cm de chaque côté du "coude".

2. Faites deux incisions dans la paille en partant des extrémités jusqu'au "coude". Posez-la sur la table en veillant à ce que la partie ouverte soit au-dessus.

3. Prenez l'une des extrémités de la paille, pliez-la en deux et glissez-la à l'intérieur du "coude". Faites la même chose avec l'autre extrémité.

4. Glissez la petite épingle de sûreté à travers le "coude". Il ne vous reste plus qu'à attacher votre noeud papillon sur un vêtement.

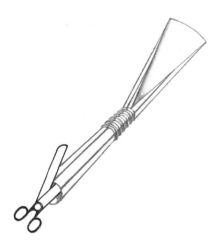

Pochette magique

Matériel
- une feuille de papier origami ou de papier pour machine à écrire de format DIN-A5
- des crayons de couleur
- des petites étoiles adhésives, achetées en papeterie
- de la colle

Voici comment faire des tours de passe-passe avec cette pochette magique: montrez un timbre et glissez-le à travers l'une des ouvertures de la pochette. Fermez-la et faites des mouvements circulaires en prononçant une formule magique: "Abracadabra-Abracadabrant, le timbre a disparu!" En même temps,

ouvrez discrètement la deuxième ouverture de la pochette et montrez-la aux spectateurs.

Ils seront étonnés de constater qu'elle est réellement vide. Pour faire réapparaître le timbre, recommencez le même rituel en faisant de grands gestes et en prononçant la formule magique.

1. Pliez la feuille de papier en deux, comme indiqué sur le dessin, pour obtenir le pli central L.

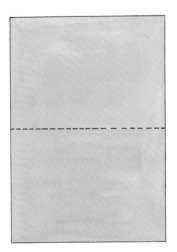

2. Pliez ensuite le coin inférieur gauche vers la ligne centrale L.

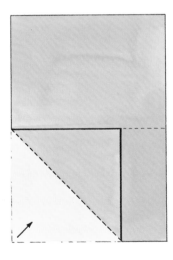

3. Faites la même chose avec le coin inférieur droit. Une partie du coin inférieur gauche déjà plié, sera rabattue en même temps.

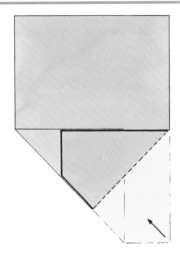

4. Suivez le même procédé pour plier le coin supérieur droit, puis le coin supérieur gauche, vers la ligne centrale L.

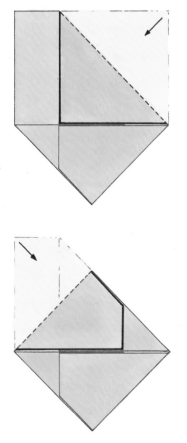

5. Pliez le carré ainsi obtenu en triangle le long de la ligne centrale en veillant à ce que les coins repliés soient à l'intérieur.

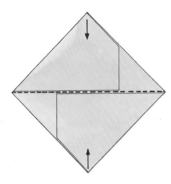

6. Pour terminer, glissez avec le pouce et l'index les coins A et B l'un dans l'autre. Vous obtiendrez ainsi une pochette triangulaire à deux ouvertures.

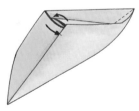

7. Vous pouvez décorer votre pochette avec de petites étoiles ou avec des motifs multicolores.

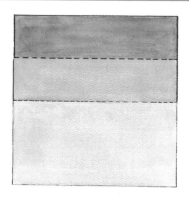

2. Ouvrez la dernière pliure et pliez les deux coins du côté fermé vers le pli central.

Monstre en papier

Matériel
- un carré de papier origami de 15 x 15 cm d'une couleur de votre choix
- une règle
- un crayon
- des ciseaux
- des restants de papier
- des ciseaux
- de la colle
- une feuille de papier carrée de 10 x 10 cm d'une couleur de votre choix
- du fil d'épaisseur moyenne
- une grosse aiguille à coudre.

Votre dragon pourra même ouvrir et fermer sa gueule. Ce mécanisme élémentaire envoûtera petits et grands.

La fête du carnaval sera d'autant plus réussie si vous offrez à chaque invité un dragon que vous aurez bricolé vous-même.

1. Pliez le carré de papier en deux. Pliez ensuite le côté fermé sur le côté ouvert de manière à obtenir un rectangle assez étroit (cf. la partie la plus sombre du dessin).

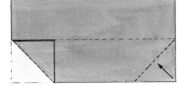

3. Procédez de la même manière avec les deux coins du côté ouvert en veillant cependant à ne plier que les coins supérieurs vers la ligne centrale.

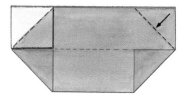

4. Retournez votre ouvrage et pliez les deux coins qui restent vers le pli central.

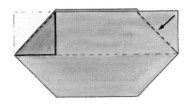

5. En partant du côté supérieur ouvert, pliez l'une des moitiés de votre ouvrage vers la gauche et l'autre vers la droite, comme indiqué sur le dessin. Vous obtiendrez ainsi la forme d'un petit bateau.

6. Calculez le centre du côté le plus long à l'aide de la règle. Prenez ce point comme repère pour faire une entaille verticale d'environ 1 cm de profondeur.

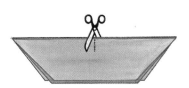

7. A l'endroit de l'entaille, vous avez ainsi obtenu quatre coins. Repliez le coin supérieur gauche du papier. En direction de la pointe A, la bande repliée est de plus en plus étroite. Repliez également l'autre coin en direction de la pointe B.

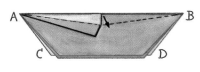

8. Retournez votre bricolage et repliez les autres coins de la même manière.

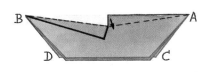

9. Agrandissez légèrement l'ouverture et appuyez doucement sur les "pointes de bec" A et B, pour les ramener l'une vers l'autre (cf. le dessin).
La tête du dragon est terminée.

10. Découpez deux yeux dans des restants de papier et collez-les à gauche et à droite de la tête.
A l'aide des ciseaux, dentelez une bandelette de papier et collez-la à l'intérieur de la "gueule du dragon". Voici la langue du dragon. De la même manière vous pouvez découper deux bandelettes pour les dents et les coller à l'intérieur de la "gueule".

11. Afin de pouvoir jouer avec la tête du dragon, il lui faut un "cou". Placez la seconde feuille de papier sur la table et roulez-la autour du crayon en serrant bien fort. Collez l'extrémité du papier. Retirez doucement le crayon pour obtenir un petit tube en papier. Coupez les extrémités en ligne droite. Ensuite, faites 4 à 5 entailles au bord de l'une des extrémités et pliez-les vers l'extérieur.

12. Prenez une aiguille et un fil d'environ 20 cm de long et nouez l'une des extrémités. Piquez au milieu du côté AC et faites ressortir le fil par le point D.

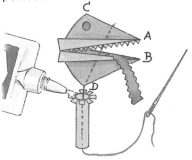

13. Ensuite, faites passer l'aiguille et le fil à travers le petit tube en papier. Le côté entaillé du tube doit être fixé à la tête du dragon. Enduisez les entailles de colle et pressez-les contre la tête du dragon.

14. Maintenant vous pouvez retirer l'aiguille. Si vous tirez doucement le fil, la gueule du "monstre" va s'ouvrir et se refermer.

Visages contrastés

Matériel
– une feuille de papier à dessin blanc de format DIN-A3
– une feuille de papier à dessin noir de format DIN-A4
– un crayon
– des ciseaux
– de la colle

Ce bricolage est un peu plus compliqué: il demande beaucoup d'imagination. Ces visages peuvent servir d'éléments décoratifs durant les fêtes du carnaval. Mais même après cette période vous pouvez continuer à les exposer, ils sont vraiment très originaux.

Vous pouvez naturellement travailler avec d'autres contrastes de couleurs que le noir et le blanc.

1. Tracez le contour de la moitié d'un visage sur le papier à dessin noir (cf. le dessin).
Découpez cette moitié en veillant à suivre avec précision la ligne tracée au crayon afin de ne pas abîmer le bord, car vous en aurez encore besoin par la suite.

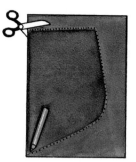

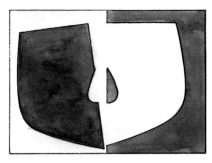

6. Dessinez ensuite la chevelure sur la partie noire du visage en laissant un bord étroit entre la moitié du visage et la chevelure. Découpez la chevelure et collez-la sur la moitié blanche.

2. Collez le "bord" de la moitié du visage sur le papier à dessin blanc en veillant à ce que les bords extérieurs du papier noir coïncident exactement avec ceux du blanc. La moitié ouverte du visage se trouve à l'intérieur du cadre. La moitié blanche du visage forme ainsi le pendant de la moitié noire découpée.

4. Procédez de la même manière pour dessiner, découper et coller la moitié de la bouche, comme indiqué sur le dessin.

7. Ce qui reste de la partie noire du visage doit maintenant être disposé et collé contre la partie blanche, de manière à ce que les deux parties s'assemblent harmonieusement. Vous avez ainsi obtenu une image positive/négative. Toutes les parties en noir sur l'une des moitiés du visage, apparaissent en blanc sur l'autre moitié.

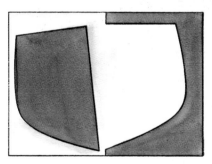

5. Dessinez un oeil dans la partie noire du visage. Découpez-le et collez-le à la bonne place dans la partie blanche du visage.

3. Dessinez au crayon la moitié du nez sur la moitié noire du visage et découpez-le. Collez cette moitié de nez sur la moitié blanche du visage comme indiqué sur le dessin. Veillez à ce que la moitié de nez soit à la bonne place!

Tout un théâtre!

Les jeux de marionnettes et de poupées ont depuis toujours fait la joie des enfants. Même en l'absence de public, le simple dialogue avec le joueur, rend les poupées vivantes et leur confère un charme magique.
Mais vous pouvez aussi organiser tout un spectacle de marionnettes pour vos amis. Il n'est pas indispensable de disposer d'un vrai théâtre: une table renversée fait tout aussi bien l'affaire. Inutile que les joueurs se dissimulent derrière une scène, car ce sont les poupées qui constituent tout le centre d'intérêt et petit à petit, le public oubliera les véritables acteurs pour se plonger entièrement dans l'univers de ces figurines.
Confectionner des poupées soi-même, n'a rien de très compliqué. Ce chapitre vous propose une série d'idées pour bricoler toute une troupe de théâtre à partir de matériaux simples et bon marché. Même les petits enfants peuvent s'y atteler. Et dès que chaque membre de la famille a trouvé sa poupée préférée, il ne reste plus qu'à lever le rideau.
Le représentation peut commencer!

Poupées en carton ondulé

Le carton ondulé est une matière sans valeur que l'on a souvent tendance à jeter. Vous trouverez ici des suggestions extraordinaires pour réaliser d'amusantes marionnettes à partir de ce type de carton. En suivant ces idées, vous pouvez même créer toute une "troupe de figurines".

1. Avec la règle et le crayon, tracez un rectangle d'environ 12 x 7 cm sur le carton mince et découpez-le. A partir de ce rectangle, formez le cou de votre marionnette à main. Il doit naturellement être creux, afin que vous puissiez glisser votre index à l'intérieur au moment d'articuler votre marionnette.

2. Enroulez le rectangle en papier deux à trois fois autour de votre index pour former un cylindre. Etendez de la colle sur le carton au moment de l'enrouler afin que le cylindre tienne bien . Une fois le cylindre terminé, attendez quelques instants, jusqu'à ce que la colle soit sèche et que le cylindre soit entièrement consolidé.

Matériel
- un restant de carton mince (12 x 7 cm)
- une règle
- un crayon
- des ciseaux
- un morceau de carton ondulé (environ 80 x 7 cm)
- un bouchon métallique à vis d'une bouteille ou un demi-bouchon de liège
- de la colle
- du papier crépon de différentes couleurs
- des restants de fourrure ou de laine.

6. A partir de restants de papier crépon, formez deux petites boules pour les yeux et une "saucisse" pour la bouche et collez-les sur la tête. Collez la fermeture à vis ou le demi-bouchon de liège à l'endroit du nez.

3. Dessinez sur le carton ondulé une bande d'environ 80 cm de long et de 7 cm de large et découpez-la.

4. Collez l'extrémité du carton ondulé autour du cylindre, comme indiqué sur le dessin, en veillant à ce que les "ondulations" soient à l'extérieur.

7. La chevelure est faite de restants de fourrure ou de laine, fixés avec de la colle. A partir d'un couvercle de pot à confiture ou d'une boîte à fromage, vous pouvez même réaliser un petit chapeau que vous collez sur la chevelure. Si vous avez envie, ajoutez une couronne en papier doré ou un voile confectionné à partir d'un restant de rideau. Votre marionnette aura

10. Pour fermer la couture de la robe, collez les parties de papier crépon que vous avez superposées l'une contre l'autre.

11. Pour la collerette ou la cravate, découpez une bande de papier crépon d'un format de votre choix. Collez-la autour du cou et faites un simple noeud devant.

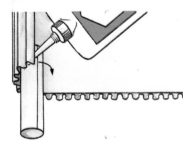

5. Enroulez ensuite toute la bande en fixant chaque couche avec de la colle. Vous obtiendrez ainsi une grosse tête.

d'autant plus d'allure.

8. Pour la robe de la poupée, dessinez un rectangle de 50 x 25 cm sur du papier crépon de couleur et découpez-le.

9. Fixez la robe au cou avec de la colle. Commencez par l'arrière pour dissimuler la couture. Drapez suffisamment le papier crépon en le collant, de manière à ce que le côté ayant 50 cm de long soit complètement enroulé autour du cou. Terminez par l'arrière en superposant la fin et le début sur une largeur d'environ 1 cm.

12. Il ne manque plus que les boutons et les poches. Découpez des cercles et des rectangles et collez-les sur la robe.

13. Glissez votre main sous la robe en papier crépon et introduisez votre doigt dans le "cou", pour articuler votre poupée et lui donner "vie".

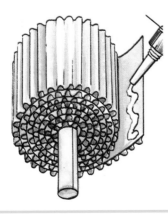

Animaux animés

Matériel
- 3 feuilles carrées de papier origami d'un format de votre choix (par exemple 25 x 25 cm)
Il vous faut:
- une feuille orange pour le renard
- une feuille jaune pour le coq
- une feuille verte pour la grenouille

- de la colle
- des ciseaux
- un crayon
- des crayons-feutres
- des restants de papier de couleur
- une perforatrice.

Pour réaliser le pliage, "ciel et enfer", référez-vous à la page 54. Cette forme de base convient particulièrement bien pour la réalisation d'amusantes têtes d'animaux.
Vous pouvez vous inspirer des animaux de la photo ci-dessus mais il existe naturellement des tas d'autres possibilités.
Pour que les animaux aient l'air plus réalistes, enfilez un gant uni au moment de la représentation.

Renard

1. Pour le renard, prenez le papier orange. Réalisez la forme "ciel et enfer" et disposez-la de manière à ce que les quatre poches soient au-dessus. Pliez ensuite deux pointes situées l'une à côté de l'autre vers l'intérieur et collez-les.

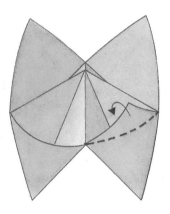

2. Glissez les quatre doigts d'une main dans les poches et tenez la forme de manière à obtenir une gueule ouverte (cf. voir dessin). Les mâchoires supérieure et inférieure sont collées ensemble le long des surfaces O et U du dessin.

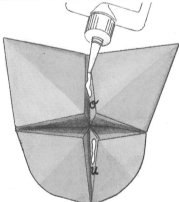

3. Pour bien faire ressortir les oreilles, faites quelques incisions dans les deux parties qui se trouvent au-dessus de la mâchoire supérieure, comme indiqué sur le dessin.

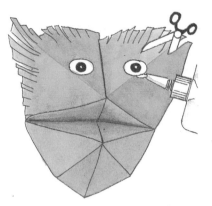

4. Découpez des yeux ronds dans un papier d'une autre couleur. Après avoir dessiné les pupilles au milieu des yeux, collez-les sur la tête. Si vous préférez, dessinez les yeux avec des crayons-feutres.

5. Perforez une feuille de papier blanc pour obtenir des confettis. Collez-les à l'intérieur de la mâchoire supérieure et inférieure pour former la denture.

6. Une forme ovale allongée dans un papier d'un autre coloris, constitue la langue. Collez-la en oblique dans la gueule du renard. Cela lui donnera un air très effrayant et le suspense sera d'autant plus grand lors de la représentation.

Coq

1. Pour le coq, prenez du papier origami jaune. Posez à nouveau la forme terminée devant vous de manière à ce que les quatre poches soient au-dessus. Pliez les 4 pointes vers l'intérieur et collez-les.

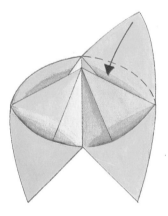

2. Dessinez la crête et la barbillon d'un coq sur du papier rouge et découpez-les. Le dessin vous montre comment se présentent ces deux parties.

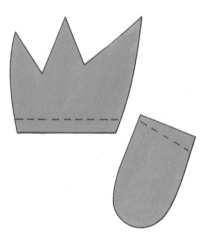

3. Collez la crête entre les deux parties de la "mâchoire" supérieure et le barbillon entre celles de la "mâchoire" inférieure.

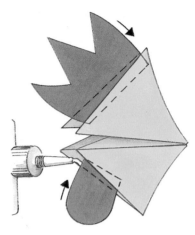

4. Découpez le bec dans du papier rouge. Il doit avoir la forme d'un losange (cf. le dessin). Pliez-le en deux et collez-le à l'intérieur de la "mâchoire".

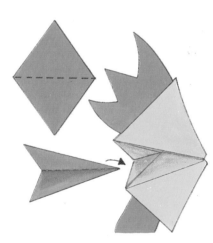

5. Dessinez les yeux au crayon-feutre rouge à gauche et à droite de la crête.

Grenouille

1. Pour la grenouille, choisissez du papier origami vert. Posez le pliage devant vous de manière à ce que les 4 poches soient au-dessus. Pliez les pointes vers l'intérieur et collez-les.

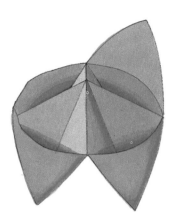

2. Retournez la forme et collez les parties de la mâchoire supérieure et inférieure ensemble, comme pour le renard.

3. Découpez deux grands yeux ronds dans un papier d'une autre couleur. Dessinez les pupilles et collez les yeux sur la tête de façon à ce que la moitié du contour de l'oeil dépasse le pliage.

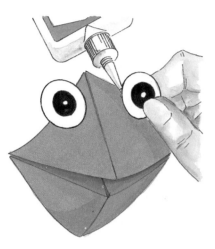

4. Pour terminer, découpez une grande langue ovale et collez-la dans la mâchoire inférieure, comme pour le renard.

Poupées-baguettes

Matériel
- une perle en bois de 4 cm de diamètre
- des gouaches
- un pinceau fin
- de la laque transparente en aérosol
- un peu de laine ou de laine brute non peignée
- de la colle
- un grand restant de tissu
- des ciseaux
- un crayon
- une cheville de 30 cm de long et de 0,5 cm de diamètre

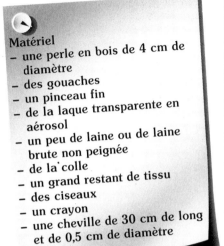

Ces poupées à baguette conviennent particulièrement bien pour un théâtre de marionnettes. Même les petits enfants peuvent les manier avec adresse, car leur mécanisme est très simple.

Il suffit de tourner, de soulever ou d'incliner la baguette, pour déterminer les mouvements de la poupée. En modifiant les traits du visage, vous pouvez réaliser des poupées de différents types.

1. Commencez par dessiner le visage. Les yeux doivent être au milieu de la perle. Dessinez d'abord deux demi-cercles blancs.

2. Les contours des yeux doivent ensuite être noircis. Dessinez l'iris dans une couleur de votre choix. La pupille est noire et doit se trouver au centre de l'iris.

3. Laissez sécher la couleur des yeux. Dessinez une tache lumineuse blanche en bordure de la pupille. Veillez à ce que la tache lumineuse soit au même endroit dans les deux yeux car sinon votre poupée va loucher.

4. Dessinez ensuite les sourcils dans une couleur sombre.

5. Deux petits points rouges forment le nez.

6. Pour terminer, dessinez la bouche en lui donnant un mouvement vers le haut. Ainsi votre poupée à baguette aura une expression très joyeuse.

7. Quand la couleur est bien sèche, vaporisez la laque sur le visage pour éviter que les couleurs ne s'estompent.

8 Pour les cheveux, utilisez des restants de laine ou de la laine brute non peignée que vous collez sur la tête

9. Découpez un cercle d'environ 40 cm de diamètre dans le grand restant de tissu (pour tracer plus facilement le contour du cercle, placez un grand plat sur le tissu). Versez une goutte de colle sur l'extrémité de la baguette et posez le tissu dessus en veillant à bien le centrer.

10. Pour terminer, fixez la tête sur la baguette recouverte de tissu en la pressant bien fort.
Et voici votre poupée prête à entrer en scène!

Poupées-cuillères en bois

Ces marionnettes fabriquées à partir d'une simple cuillère en bois, ont toujours énormément de succès. Bien que les matériaux de départ soient très courants, elles ont beaucoup d'allure. De plus, elles sont très faciles à manipuler, même pour les jeunes enfants.

1. Prenez la lime et faites une entaille d'environ 2 mm de profon-

deur autour de la partie supérieure du manche de la cuillère en bois.

2. Faites passer le fil de fer autour de l'entaille de la cuillère en le croisant de manière à avoir deux parties égales de chaque côté du manche.
Pliez les extrémités du fil de fer de manière à obtenir deux "oeillets".
"L'ossature" pour les bras et les mains de votre poupée est terminée.

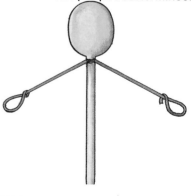

Matériel
- une cuillère en bois à "tête" arrondie
- une lime
- 50 cm de fil de fer
- des restants de peluche ou de fourrure
- de l'ouate
- un restant de tissu de couleur d'environ 30 x 35 cm
- un restant de tissu uni d'environ 20 x 10 cm
- une tasse
- des ciseaux
- une aiguille
- du fil
- un crayon
- du papier-calque
- 2 perles en bois ou 2 boutons d'environ 1 cm de diamètre

3. Ensuite formez les mains. Posez une tasse renversée sur le tissu uni. Contournez-la au crayon et découpez le cercle. Fabriquez deux cercles selon le même procédé et superposez-les Attachez-les ensemble en faisant des points de couture à environ 1 cm du bord Ne fermez pas complètement le cercle Laissez dépasser les deux extrémités du fil Retournez cette "pochette" Dans celle-ci, glissez une boule d'ouate de la taille d'une cerise afin que les mains soient légèrement rembourrées

4. Tirez sur les deux extrémités du fil pour obtenir la forme d'une boule. L'ouate remplit complètement l'intérieur de la pochette. Glissez la "pochette" sur l'un des oeillets de votre poupée à main et nouez les extrémités du fil ensemble en serrant bien fort.
Procédez exactement de la même manière pour réaliser la seconde main.

5. Dans le grand catalogue des modèles, vous trouverez le patron pour la robe de votre poupée. Pliez le morceau de tissu de couleur en deux et posez le patron dessus.
Décalquez-le (cf les instructions de la page 14 pour décalquer des modèles\, puis découpez-le
Découpez une fente pour former l'encolure (cf. le dessin).

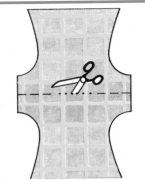

6. Maintenant vous pouvez passer la robe au-dessus de la "tête" de la cuillère en bois. Faites des points de couture autour de l'encolure et nouez les extrémités du fil en serrant bien fort.

7. Collez les manches autour des mains en veillant à ce qu'elles soient

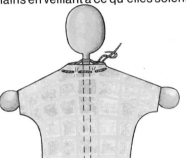

bien tendues. Fermez les coutures latérales avec de la colle (si vous préférez, vous pouvez aussi les coudre).

8. Pour l'ourlet de la robe, pliez environ 1 cm du bord du tissu vers l'intérieur et collez-le.

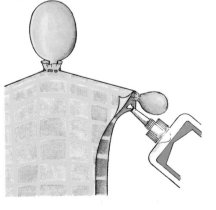

9. Il vous reste à réaliser la tête de votre marionnette. Le côté légèrement bombé de la cuillère en bois

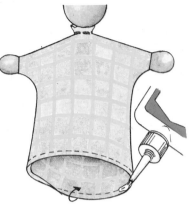

deviendra le visage et le côté creux formera l'arrière de la tête.
La chevelure est faite de peluche ou de fourrure.
Recouvrez entièrement l'arrière de la tête. Veillez à laisser le visage dégagé.
Prenez deux perles en bois ou deux boutons pour les yeux et un petit morceau de tissu pour la bouche.
Collez ces éléments sur la tête pour former le visage.
Vous pouvez aussi dessiner le visage avec des crayons de couleur humidifiés (les crayons de couleur sec ne ressortent pas suffisamment sur le bois).
La poupée-cuillère est terminée et attend avec impatience qu'un joueur la saisisse par le manche pour qu'elle puisse gesticuler!

Poupées en papier mâché

Le papier mâché est fabriqué à partir de journaux et de colle d'amidon. Il est facile à façonner et dès qu'il est sec; il devient dur et résistant. Vous pouvez habiller et colorier vos marionnettes de diverses façons pour qu'elles aient chacune un aspect différent.

1. Prenez un récipient et mélangez deux cuillères à soupe de poudre d'amidon avec un peu d'eau. Pour bien diluer la poudre, suivez les indications qui se trouvent sur l'emballage. Laissez gonfler cette masse durant 20 minutes.

2. Recouvrez votre surface de travail d'une toile cirée car vous risquez de répandre beaucoup de colle en fabriquant votre tête en papier mâché.

Matériel
– 3 doubles pages de papier journal
– de la colle d'amidon
– un récipient
– un gros pinceau
– un rouleau de papier de toilette vide
– des restants de papier de couleur de trois tons différents
– des ciseaux
– une règle
– un crayon
– un restant de fourrure d'environ 5 x 20 cm
– un restant de tissu d'environ 25 x 55 cm
– de la colle
– une aiguille
– du fil

3. Dépliez une double page de papier journal et enduisez-la entièrement de colle à l'aide du pinceau. Roulez le papier journal en boule pour former l'intérieur de la tête.

4. Enduisez une autre double page de papier journal de colle et roulez-la autour de la première boule. Laissez dépasser les coins de la page et formez un cou allongé avec vos mains enduites de colle (cf. le dessin). Le cou doit avoir la même longueur que le rouleau de papier de toilette. S'il est trop long, arrachez ou coupez les parties qui dépassent.

5. Pour que la tête soit au-dessus du cou, glissez la forme en papier mâché à l'intérieur du rouleau de papier de toilette, de manière à ce que le cou disparaisse entièrement à l'intérieur du rouleau.

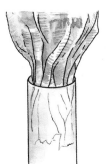

6. La tête de votre marionnette doit être bien stable. Pour cela, découpez 8 bandes d'environ 2 cm de large dans la dernière feuille de papier journal. Collez-les autour de la tête, de part et d'autre du cou, comme indiqué sur le dessin.

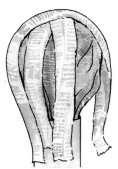

7. Déchirez le bord blanc du papier journal en petits morceaux et collez-les en mosaïque sur la tête. Le papier imprimé doit être complètement recouvert de papier blanc.

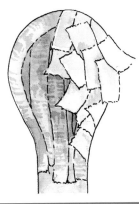

8. Découpez les yeux, le nez et la bouche dans du papier de couleur et collez-les sur la tête.
A ce stade, la forme doit reposer durant 2 jours pour sécher. Le papier mâché va devenir dur.

9. Pour la coiffure, prenez un restant de fourrure d'environ 5 x 20 cm. Collez-le autour de la tête avec de la colle et coupez les extrémités qui dépassent.

10. Maintenant, il faut confectionner la robe de votre marionnette. Dessinez un rectangle de 25 x 55 cm sur un restant de tissu et découpez-le. Prenez un fil d'une longueur de 70 cm. Faites-le passer à travers le côté longitudinal du tissu à environ 1 cm du bord.

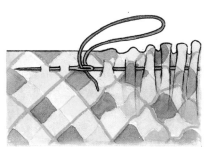

11. Tenez bien les extrémités du fil tout en plissant le tissu de manière à obtenir une encolure. Collez la robe autour du rouleau de papier de toilette et nouez les extrémités du fil derrière la tête.

12. Il ne vous reste plus qu'à fermer la couture dorsale de la robe. Superposez légèrement les bords du tissu et collez-les ensemble. Glissez votre main sous la robe de la poupée et tenez-la par le rouleau de papier de toilette. Au moindre geste, elle s'animera.

Marionnettes en tissu

Ces marionnettes conviennent particulièrement bien pour des jeux légers et délicats sur fond musical. Grâce à la souplesse et à la finesse du tissu, elles accomplissent des mouvements fluides et harmonieux.

1. Posez la planchette sur un vieux journal afin de ne pas abîmer la table au moment de forer.

Calculez le centre de la planchette à l'aide de la règle. Percez le centre avec la vrille, en veillant à ce que cet orifice soit juste assez grand pour laisser passer le gros fil de nylon. Pour cela, il vous faut une vrille à pointe très fine. Percez deux autres orifices à 0,5 cm des deux bords de la planchette.

Vous pouvez momentanément ranger la planchette. La marionnette y sera suspendue par la suite.

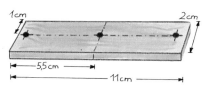

Matériel
- un planchette en bois de 10 cm de long, de 2 cm de large et d'une épaisseur de 0,5 cm
- une règle
- un crayon
- une vrille à pointe fine
- une perle en bois de 4 cm de diamètre
- une perle en bois de 1 cm de diamètre
- 2 perles en bois de 2 cm de diamètre
- une aiguille
- du gros fil ou du fil de nylon
- des ciseaux
- un gros morceau de tissu fin de 70 x 70 cm
- 2 petits boutons.

2. Attachez la petite perle en bois (1 cm de diamètre) à un gros fil ou à un fil de nylon de 50 cm de long et enfilez, ensuite, la perle de 4 cm de diamètre (cf. le dessin).

7. Pour la deuxième main, prenez l'autre perle de 2 cm de diamètre et procédez de la même manière avec le coin opposé de l'étoffe.

8. Faites passer le fil qui sert à guider la tête de votre marionnette par l'orifice central de la planchette en bois et nouez son extrémité. Les fils qui servent à guider les mains doivent passer par les deux orifices extérieurs de la planchette et leurs extrémités doivent également être nouées. Veillez à ce que ces deux fils soient de la même longueur.

5. Attachez une perle en bois de 2 cm de diamètre à un gros fil de nylon de 70 cm de long. Prenez l'aiguille et enfilez l'autre extrémité du fil. Piquez à travers le dessous de l'étoffe, à 4 cm de l'un des coins et tirez sur le fil. L'extrémité qui dépasse vous servira par la suite pour guider votre marionnette.

3. A l'aide de l'aiguille, faites passer le fil à travers le milieu de votre morceau de tissu carré. Ne coupez pas l'extrémité du fil, car vous en aurez besoin pour suspendre votre marionnette.

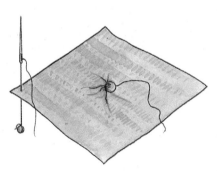

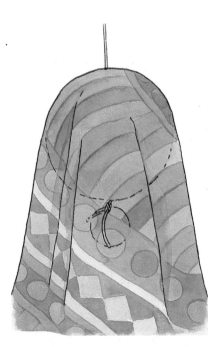

6. Tendez à nouveau bien le tissu au-dessus de la perle en bois et nouez-le sous la perle. Maintenant votre marionnette a déjà une main.

Les mains doivent être suspendues à mi-hauteur du corps de la marionnette.

9. Il vous reste à coudre deux boutons à la place des yeux, pour rendre votre marionnette plus expressive.

10. Tenez la planchette dans l'une de vos mains et effectuez un mouvement de va-et-vient pour faire bouger votre marionnette.
Avec l'autre main, tirez sur les fils qui permettent de diriger les mains.

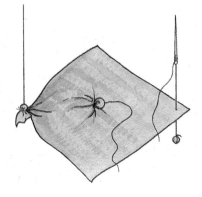

4. Veillez à ce que le tissu soit bien tendu au-dessus de la grosse perle en bois et prenez un autre fil pour le nouer entre la grosse et la petite perle en bois.
La tête de votre marionnette est terminée.

Animaux-chaussettes

Matériel
- une vieille chaussette
- un morceau de carton (ayant plus ou moins le format DIN-A4)
- un crayon
- des ciseaux
- de la colle
- 2 boules d'ouate de 3 cm de diamètre
- 2 boutons
- des restants de laine
- 20 perles en bois clair
- des restants de feutre.

Si vous fouillez dans les armoires de la maison, vous trouverez certainement une vieille chaussette trouée. Avec des restants de tissu et de laine, du feutre, des perles, des boutons et bien d'autres choses encore qu'on accumule dans une boîte à coudre, vous pouvez confectionner des animaux-chaussettes pleins de fantaisie qui deviendront bien vite le jouet favori de toute la famille.

1. Enfilez la chaussette et posez votre pied sur le carton. Tracez le contour de votre pied au crayon. Otez votre pied du carton et égalisez légèrement le contour du pied de manière à obtenir une forme ovale allongée.

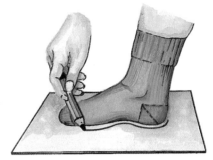

2. Découpez cette semelle en carton.

3. Pliez la semelle en deux.

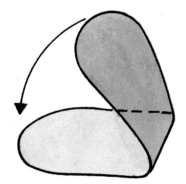

4. Tournez la chaussette à l'envers et collez la semelle en carton sur le fond de la chaussette. Dès que la colle est sèche, retournez votre chaussette à l'endroit.

5. Maintenant vous pouvez introduire votre main dans l'animal-chaussette et faire bouger avec vos doigts la "gueule" que vous avez ainsi obtenue.

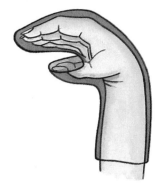

6. Il vous reste à coller ou à coudre les yeux, les dents, les cheveux, etc... C'est la partie la plus agréable du travail car vous pouvez laisser libre cours à votre fantaisie pour confectionner des animaux ayant des expressions très singulières.

7. L'animal-chaussette de la page voisine a été réalisé de la manière suivante: deux boules d'ouate coloriées à l'aquarelle noire ont été collées à la place des yeux.
En guise de cheveux et de barbe, quelques fils de laine ont été piqués à travers la chaussette et noués. Deux boutons ont été cousus à la place des narines. La gueule a été faite à partir de restants de feutre et de laine et des petites perles ont été cousues à la place des dents.
La langue, réalisée à partir d'un autre restant de feutre, a été collée dans la gueule.

Joyeuses Pâques

L'arrivée de Pâques est attendue avec beaucoup d'impatience par tous les enfants. Ils adorent aller à la recherche des oeufs et des sucreries dissimulées dans la maison ou le jardin.
Toutes les suggestions de bricolage rassemblées dans ce chapitre sont destinées à être réalisées durant les fêtes de Pâques. A partir d'oeufs évidés et joliment peints, vous pouvez réaliser des tas d'éléments décoratifs.
Le "lapin de Pâques" avec sa petite corbeille remplie d'oeufs, est aussi très amusant à confectionner.
Ce chapitre comporte également une série d'idées pour décorer avec raffinement la table du repas pascal.

Poussins dans leur coquille

Matériel
- une tasse
- un crayon
- coquilles d'un oeuf cassé
- du carton robuste de la taille d'un dessous de verre à bière
- de la colle
- de la mousse
- de l'ouate jaune
- un peu de papier de couleur
- des ciseaux

Ce petit poussin qui vient d'éclore est facile à réaliser et très décoratif. Au cours d'une promenade printanière à travers les champs ou la forêt, vous trouverez certainement un peu de mousse pour lui confectionner une couche bien douillette. La mousse peut être utilisée fraîche ou après avoir séché durant quelques jours.

1. Posez une tasse renversée sur le carton et tracez le contour au crayon. Découpez ce cercle.

2. Collez la mousse dessus, puis les deux moitiés de la coquille d'oeuf en les plaçant l'une à côté de l'autre avec l'ouverture vers le haut.

3. Fourrez de l'ouate dans la plus grande des deux moitiés en laissant dépasser une boule pour former une petite tête.

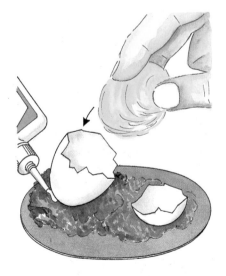

4. Découpez les yeux et le bec dans du papier de couleur et collez-les sur la tête, comme indiqué sur le dessin.

5. La petite moitié de coquille doit rester vide pour donner l'impression que la coquille vient de se briser.

Mobile d'œufs

Matériel
- du papier-calque
- un crayon
- du carton robuste ou du papier épais (format DIN-A4)
- des ciseaux
- des crayons de couleur ou des peintures à doigts
- une aiguille
- du fil.

Ce mobile d'oeufs peut être confectionné très rapidement. Même les petits enfants peuvent tracer et découper ces formes aux contours simples. Pour décorer ces oeufs, choisissez vos couleurs préférées et si vous avez envie, inventez des tas de petits motifs.

Vous pouvez réaliser plusieurs mobiles d'oeufs et les suspendre l'un à côté de l'autre au plafond. Ce sera vraiment ravissant, car au moindre courant d'air il vont se mettre à danser.

1. Commencez par décalquer sur le carton 4 oeufs de grosseurs différentes et découpez-les.
Les différents modèles d'oeufs se trouvent à la page 223 du catalogue des modèles.

2. Coloriez les deux côtés des oeufs avec des crayons de couleur ou des peintures à doigts.

3. Posez les oeufs coloriés sur la table et prenez une aiguille et du fil. Faites passer le fil par la pointe du plus gros oeuf et par le côté arrondi d'un oeuf plus petit, puis nouez les extrémités du fil. Procédez de la même manière avec la pointe du petit oeuf et le côté arrondi d'un troisième oeuf et continuez de la sorte jusqu'à ce que le plus petit oeuf soit enfilé. Faites passer un fil assez long par la pointe du dernier oeuf afin de pouvoir suspendre votre mobile terminé au plafond.

Oeuf à la "coq"

Ce coq constitue une ravissante décoration de table qui surprendra tous les convives. Il est fait à partir d'un oeuf évidé et de bandelettes de papier de couleur (pour évider les oeufs, cf. page 93).

Matériel
– du papier-calque
– un crayon
– des restants de papier rouge
– des ciseaux
– de la colle
– un oeuf évidé
– un crayon-feutre noir
– du papier origami de différentes couleurs
– un couteau de cuisine
– un rouleau de papier de toilette vide
– de la peinture à doigts verte ou de la gouache
– un pinceau.

1. Décalquez les modèles de cette page sur du papier rouge et découpez-les. Il vous faut un bec et deux crêtes.

2. Collez les deux crêtes l'une contre l'autre jusqu'à la ligne en pointillés. Recourbez les bords inférieurs et collez ces languettes de part et d'autre du côté pointu de l'oeuf.

3. Pliez le bec en deux et collez-le sur l'oeuf.

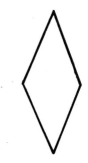

4. Dessinez les yeux au crayon feutre noir.

5. Pour la queue, découpez le papier origami de couleur en bandelettes. Elles doivent avoir 0,5 cm de large et environ 8 à 12 cm de long. Collez-les à l'arrière du coq.

6. Pour que les bandelettes de papier s'enroulent légèrement étirez-les à l'aide d'un crayon: appuyez le pouce de la main gauche sur les extrémités collées des bandelettes et enroulez les extrémités opposées autour du crayon.
Avec le pouce de la main droite; exercez une légère pression sur le papier tout en étirant les bandelettes au-dessus du crayon.

7. Pour que votre coq tienne debout, fabriquez un petit socle. Prenez le rouleau de papier de toilette et coupez un anneau de 3 cm de largeur à l'aide du couteau de cuisine.
Coloriez l'anneau en vert et posez le coq dessus.

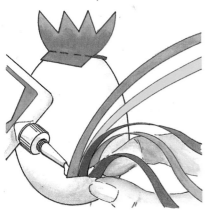

Poules en papier origami

Au moment de mettre la table pour le festin de Pâques n'oubliez pas ces jolies petites poules. Elles donneront une note de gaieté supplémentaire à votre repas.

Vous pouvez naturellement utiliser une autre sorte de papier que la papier origami qui s'achète par feuilles dans les magasins de bricolage. Veillez cependant à choisir un papier suffisamment robuste et facile à plier.

1. Pliez l'un des coins de la feuille de papier origami (d'une couleur de votre choix) sur le coin opposé de façon à obtenir un triangle, puis dépliez-le. Faites la même chose avec les deux autres coins et dépliez à nouveau la feuille.

Matériel
- 3 feuilles de papier origami de différentes couleurs et de format 13·x 13
- des ciseaux
- de la colle
- un crayon
- une perforatrice.

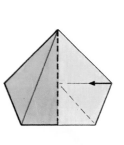

4. Maintenant votre pliage a la forme d'un petit voilier. Retournez votre petit bateau et pliez-le en deux, comme indiqué sur le dessin.

2. Si vous pliez les deux angles latéraux vers la ligne médiane, vous obtiendrez la forme d'un cerf-volant.

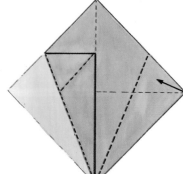
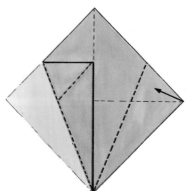
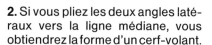

5. Ensuite, écartez les deux pointes supérieures jusqu'à ce que vous ayez obtenu la forme d'une petite poule dont la queue s'écarte du corps. Exercez une pression sur les plis pour que votre forme soit bien stable.

7. Dessinez la crête de votre poule sur un papier origami d'une autre couleur (pour le contour de la crête, cf. le dessin). Collez la crête sur la tête, comme vous le montre le dessin.

3. Retournez votre travail et pliez avec précision la pointe inférieure sur la pointe supérieure (cf. le dessin).

6. Votre pliage comporte une pointe fermée et une pointe ouverte (celle de gauche sur le dessin). En guise de bec, glissez un petit triangle dans la pointe ouverte.

8. Pour terminer, collez de part et d'autre de la tête un oeil de la taille d'un confetti en papier origami.
Les confettis peuvent être réalisés à l'aide de la perforatrice. Si vous avez envie, ajoutez une pupille blanche.

3. Faites une incision dans chacune des languettes en suivant la ligne médiane du dessin ci-dessous.

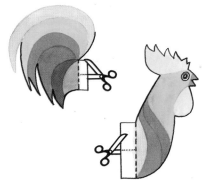

4. Pliez les languettes le long de la ligne en pointillés en veillant à ce qu'une moitié de chaque languette soit à gauche de l'autre à droite. Enduisez les languettes de colle pour fixer la tête et la queue de part et d'autre du pot à yaourt. Les deux parties doivent être exactement en face l'une de l'autre et la languette supérieure doit être contre le bord du pot.

Coq à corbeille

Matériel
- du papier-calque
- un crayon
- du carton blanc mince (format DIN-A5)
- des ciseaux
- des pastels gras
- un pot à yaourt
- de la colle
- des restants de papier crépon de différentes couleurs
- des fibres de bois (en vente dans les magasins de bricolage)

Ce coq multicolore dissimule de délicieuses sucreries dans son "estomac". C'est un très joli cadeau de Pâques que les enfants plus âgés peuvent bricoler pour faire une surprise à leurs cadets.

1. Décalquez les contours de la tête et de la queue du coq sur du carton blanc, d'après le modèle de la page 224 du catalogue, et découpez-les (cf. la page 14 pour décalquer des modèles).

2. Coloriez les deux faces des parties avec des pastels gras en vous inspirant de la photo ci-dessus. Les languettes, qui servent à coller les parties, ne doivent pas être coloriées.

5. Une fois que la tête et la queue sont bien attachées, découpez des petits morceaux de papier crépon de couleur. Collez-les autour du pot à yaourt.

6. Pour terminer, garnissez le pot de fibres de bois et d'oeufs multicolores.

Corbeille à lapin

Matériel
- du papier calque
- un crayon
- une demi-feuille de papier à dessin
- des restants de papier de couleur
- des ciseaux
- de la colle
- une règle
- du papier crépon vert (4 x 85 cm)
- des fibres de bois (en vente dans les magasins de bricolage).

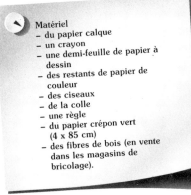

Voici une corbeille à lapin très originale. On dirait que le petit lapin se dissimule dans l'herbe.

1. Décalquez la forme du lapin sur du papier à dessin brun d'après le modèle de la page séparée du catalogue (pour décalquer, suivez les instructions de la page 14). Décalquez deux fois la petite partie interne de l'oreille sur du papier de couleur (choisissez un ton qui vous plaît). Découpez soigneusement toutes les parties.

2. Pliez les deux faces du lapin vers le haut, le long du pointillé. Le fond rectangulaire de la corbeille à lapin doit rester à plat sur la table et les autres parties doivent être redres-

sées à la verticale.
Collez les languettes qui se trouvent à l'avant et à l'arrière l'une contre l'autre.

3. Ensuite, collez les parties internes des oreilles. Découpez les yeux dans des restants de papier de couleur et collez-les de part et d'autre de la tête.

4. Découpez une bande de papier crépon de 4 cm de large et de 85 cm de long (calculez les mesures à l'aide de la règle). Collez cette bande 2 fois autour de la corbeille le long du bord inférieur. Le bord supérieur de la bande doit rester libre.

5. Faites des tas de petites incisions dans le bord supérieur du papier crépon pour donner l'impression que votre lapin est entouré d'herbe.

6. Avant de remplir la corbeille d'oeufs et de sucreries, garnissez-la de fibres de bois.

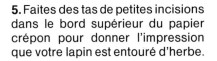

Oeufs en mobile

Si votre maman fait un gâteau pour Pâques, dites-lui de ne pas casser les oeufs, et proposez-lui de les évider. Ils peuvent vous servir pour de nombreux bricolages. Les oeufs qui vous sont proposés ici, conviennent particulièrement bien pour décorer les branches d'un grand bouquet de Pâques.

1. Transpercez l'oeuf cru avec une fine aiguille à tricoter. Tenez l'oeuf contre votre bouche et soufflez, comme pour gonfler un ballon, jusqu'à ce que le contenu de l'oeuf se soit écoulé par l'autre orifice. Rincez l'oeuf et séchez-le avec du papier de cuisine.

2. Décalquez 3 silhouettes sur le papier à dessin, d'après le modèle de la page 221 du catalogue (pour décalquer, suivez les instructions de la page 14), et découpez-les.

3. Coloriez l'oeuf avec de la gouache. Choisissez des tons qui soient en harmonie avec le papier. Ce sera d'autant plus joli!

4. Dès que les couleurs sont sèches, pulvérisez l'oeuf de laque.

5. Coupez la tête de l'allumette et nouez un fil en son milieu. Glissez l'allumette dans l'oeuf. Si vous tirez sur le fil, l'allumette va se mettre en travers et former une attache pour suspendre l'oeuf.

6. Enfilez l'aiguille et disposez votre silhouette à la verticale. Faites passer le fil à travers le milieu de la partie supérieure et nouez-le de manière à ce que l'oeuf puisse tourner librement à l'intérieur de la silhouette (cf. le dessin).

7. Pour suspendre l'oeuf à une branche, faites passer un fil assez long à travers l'orifice qui vous a déjà servi à le suspendre dans la silhouette (cf. le dessin). Retirez l'aiguille et attachez les extrémités des deux fils ensemble.
Votre oeuf en mobile est terminé.

Oiseau-éventail

Matériel
- 2 feuilles de papier à dessin de couleurs assorties (format DIN-A4)
- du papier-calque
- un crayon
- des ciseaux
- une feuille carrée de papier à dessin assortie aux autres (format 12 x 12 cm)
- des restants de papier de couleur
- de la colle
- une aiguille
- du fil

4. Glissez l'éventail jusqu'au milieu à travers l'entaille du corps de l'oiseau et collez les 2 extrémités l'une contre l'autre.

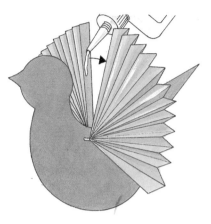

Voici un oisillon qui gazouille dans un coeur pour annoncer que le printemps est enfin là. Même après Pâques, il continue à faire la joie des petits et des grands.

1. Décalquez le coeur et le corps de l'oiseau sur les deux feuilles de papier à dessin, d'après le modèle de la page 222 du catalogue, et découpez-les.

2. Faites une entaille dans le corps de l'oiseau en suivant le pointillé.

3. Pour former les ailes, pliez la feuille carrée de papier en éventail. Pour réaliser l'éventail, pliez 1 cm du bord de la feuille vers l'intérieur, tournez la feuille, pliez à nouveau une bandelette de même largeur, retournez la feuille et continuez de la sorte jusqu'à ce que tout le papier soit plié en accordéon.

5. Découpez deux yeux ronds dans du papier de couleur et collez-les de part et d'autre de la tête de l'oiseau.

6. A l'aide du fil et de l'aiguille, suspendez votre "oiseau-éventail" à l'intérieur du coeur en papier de manière à ce qu'il puisse tourner. Nouez l'extrémité du fil pour pouvoir suspendre l'oisillon.

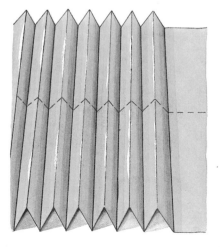

Lapin-coquetier

Matériel
– du papier à dessin brun
  (un carré de 20 x 20 cm)
– des restants de papier à dessin
  brun clair
– une pièce de monnaie
– un crayon
– des ciseaux
– un crayon-feutre noir
– une règle
– de la colle.

Voici d'amusants coquetiers pour décorer la table au moment du repas de Pâques.
En utilisant des carrés plus grands pour plier votre lapin-coquetier, vous pouvez réaliser une ravissante corbeille de Pâques et la remplir de délicieuses sucreries.

1. Pliez la feuille carrée de papier à dessin en triangle. Pliez à nouveau ce triangle en deux de manière à obtenir une ligne médiane. Ensuite, dépliez le triangle.

2. Pliez les pointes A et B vers le haut en veillant à ce qu'elles soient parallèles à la ligne médiane et situées à 0,5 cm de celle-ci.

3. Pliez la partie inférieure fermée vers le haut jusqu'à la ligne en pointillés et aplatissez le pli avec l'ongle. Ensuite, tournez votre pliage.

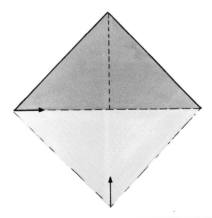

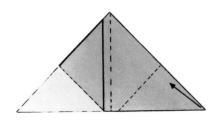

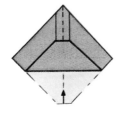

4. Pliez les coins 1 et 2 vers la ligne médiane et aplatissez également ce pli.

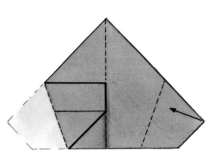

5. Pliez les deux pointes 3 le plus loin possible vers le bas en pressant bien sur le pli.

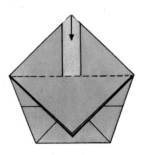

6. Repliez ensuite ces deux pointes vers le haut et glissez-les à l'intérieur du pliage. Le lapin-coquetier est terminé.
Avec vos doigts, écartez doucement les parois du coquetier et retournez votre travail.

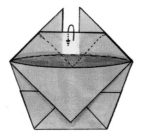

7. Posez la pièce de monnaie sur le papier brun clair et tracez-en le contour au crayon. Découpez ce cercle, pliez-le en deux, puis coupez-le le long du pli.
Avec le crayon feutre noir, dessinez les pupilles sur les yeux et collez-les de part et d'autre du pli du milieu.

8. Dessinez le nez et le museau au crayon feutre noir.

9. Avec la règle et le crayon, tracez deux petits trapèzes sur le papier à dessin brun clair et découpez-les. Ce sont les moustaches de votre lapin.

10. Faites quelques incisions dans le large côté des deux trapèzes et collez-les à gauche et à droite du nez, le long du côté étroit.

11. Sur du papier à dessin brun clair, reproduisez les contours des oreilles de la forme pliée. A l'intérieur de ceux-ci, tracez à l'aide de la règle deux autres contours qui soient environ 0,5 cm plus petits que les premiers. Ce sont les parties internes des oreilles. Découpez-les, glissez-les derrière la tête du lapin et collez-les.

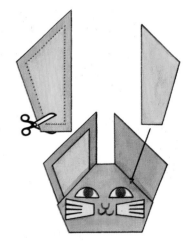

Couronne d'oeufs

Matériel

- 6 oeufs évidés
- des gouaches
- un pinceau fin
- de la laque claire en aérosol
- du fil de fer (1 mm de diamètre et 70 cm de long)
- 8 perles en bois de 2 cm de diamètre
- 4 perles en bois de 3,5 cm de diamètre
- quelques brindilles de ruskus séchées* (en vente dans les magasins de bricolage)
- du fil de fer assez fin
- un ruban de velours de 30 cm de long et de 1 cm de large
- des tenailles
- une allumette
- du fil

*brindilles de Ruskus = petites branches d'une plante tropicale séchée en vente sous cellophane.

Toute la famille peut participer à ce bricolage car il faut 6 oeufs coloriés pour réaliser cette couronne. Choisissez des tons qui s'assortissent bien et suspendez la couronne terminée à une branche en fleurs. Vous serez ravi du résultat!

1. Les oeufs évidés doivent être coloriés et pulvérisés de laque (cf. page 92 pour évider des oeufs).

2. Coloriez les perles en bois dans des tons assortis aux oeufs et pulvérisez-les également de laque (vous pouvez aussi utiliser des boules d'ouate et les transpercer avec une grosse aiguille).

3. Mettez un oeuf de côté, car vous en aurez besoin par la suite pour le milieu. Prenez le gros fil de fer et enfilez les oeufs qui restent en les séparant chaque fois par 2 ou 3 perles. Terminez votre collier par deux perles en bois.

4. Recourbez doucement votre fil de fer et entrelacez les extrémités à l'aide des tenailles (cf. le dessin). Faites passer un long fil autour du joint en fil de fer afin de pouvoir suspendre la couronne d'oeufs.

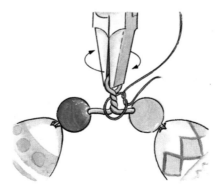

5. Dissimulez les extrémités du fil de fer avec quelques brindilles séchées. Attachez-les avec du fil de fer fin à l'endroit où les extrémités de la couronne s'entrelacent.

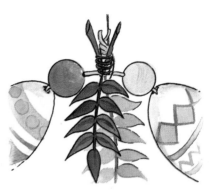

6. Faites un joli noeud avec le ruban de velours et attachez-le au-dessus de la couronne d'oeufs avec du fil de fer fin.

7. Confectionnez une attache pour le dernier oeuf (cf. "oeufs en mobile", page 92), et suspendez-le au milieu de la couronne d'oeufs en l'attachant à l'une des brindilles.

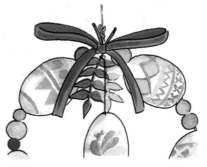

Bientôt la fête des mères

Durant la semaine qui précède la fête des mères, les enfants bricolent et dessinent avec énormément de zèle. Chacun veut naturellement faire la plus belle surprise à sa maman.
Dans ce chapitre vous trouverez des tas d'idées originales pour confectionner de jolis cadeaux.
Les petits enfants devraient cependant demander l'aide de leur papa ou de leurs aînés pour bien comprendre toute les instructions. Si vous ne trouvez pas votre bonheur dans ce chapitre, rien ne vous empêche de parcourir les autres pages de cet album.
Et pourquoi ne pas profiter de l'occasion pour bricoler en plus un petit cadeau pour votre grand-mère?

2. Choisissez une couleur et peignez, à l'aide du pinceau, la face interne de votre main gauche. Veillez à étendre uniformément la couleur en n'oubliant pas les côtés internes des doigts. Ecartez les doigts et appuyez la main sur la moitié gauche du coeur. Pressez bien fort, puis retirez prudemment votre main.

3. Lavez votre main gauche et peignez la face interne de la main droite. Reproduisez cette empreinte sur la moitié droite du coeur. Laissez sécher la couleur.

4. Entre-temps, confectionnez la cordelette en laine (cf. page 194 "Cloche-pot de Fleurs").
Les tons des fils de laine doivent être en harmonie avec ceux des empreintes des mains.

5. Fixez la cordelette avec de la colle autour du bord du coeur. Commencez par le milieu du haut et suivez tout le contour du coeur jusqu'à votre point de départ.
Formez une anse et collez l'extrémité de la cordelette.
Votre coeur n'a plus qu'à être suspendu.

Coeur sur la main

Matériel
– du papier calque
– un crayon
– du carton blanc mince (format 30 x 42 cm)
– des ciseaux
– des peintures à doigts ou des gouaches
– un pinceau
– 3 fils de laine de différentes couleurs et de 5 mètres de long
– de la colle.

Une petite surprise qui vient du fond du coeur fait toujours la joie des mamans. Ce coeur est facile à réaliser. Les petits enfants ont juste besoin d'un peu d'aide pour confectionner la cordelette en laine.

1. A l'aide du papier-calque, reproduisez le coeur sur le carton d'après le modèle de la grande feuille du catalogue (cf. page 14 pour décalquer des modèles). Ensuite, découpez-le.

Plateau en papier peint

Matériel
– de la colle d'amidon
– un récipient pour préparer la colle
– une feuille de papier de format DIN-A3
– un pinceau
– des gouaches
– éventuellement un peigne
– un couvercle d'un tonneau de poudre à lessiver
– un crayon
– des ciseaux
– de la colle

Pour ce joli plateau, mieux vaut réaliser plusieurs feuilles de papier peint. Faites des essais avec différents tons et motifs, puis choisissez la feuille qui vous paraît la plus réussie.
Les autres feuilles peuvent servir à recouvrir des livres ou des cahiers.

1. Recouvrez votre surface de travail de journaux ou d'une toile cirée et enfilez un tablier.

2. Préparez la colle d'amidon en suivant les instructions qui se trouvent sur l'emballage. Une fois que le mélange a bien gonflé, étendez-le en couches épaisses sur votre papier.
Servez-vous de votre main pour bien répartir la colle.

3. A l'aide du pinceau, faites des taches de gouache sur la colle d'amidon ou peignez de larges bandes de couleur.

4. Tant que la colle n'est pas sèche, vous pouvez dessiner avec vos doigts des tas de motifs différents: faites, par exemple, des cercles, des lignes, des ondulations, etc. Si vous préférez, utilisez un peigne pour imprimer les motifs, mais rincez-le soigneusement après usage.

5. Si vous n'êtes pas satisfait du résultat, lissez toute la surface de la feuille avec le plat de la main et faites des essais avec d'autres motifs.

6. Quand les couleurs sont sèches, posez le couvercle du tonneau de poudre à lessiver sur la face unie de votre papier peint et tracez le contour au crayon. Découpez ce cercle, étendez de la colle sur la face unie et collez-le à l'intérieur du couvercle.

Matériel
- 2 tasses de farine
- 2 tasses de sel
- 8 à 10 cuillères à soupe d'eau
- un petit récipient
- un verre à liqueur
- 2 à 3 tasses
- des peintures à doigts ou des gouaches
- un pinceau
- un couteau de cuisine
- un cure-dent
- de la laque transparente en aérosol.

Tableau de pâte salée

Cette plaquette décorative en pâte salée n'est pas compliquée à réaliser.

1. Préparez d'abord la pâte pour la forme de base.

Mélangez une tasse de farine, une tasse de sel et 6 à 8 cuillères à soupe d'eau (pour préparer la pâte salée, on utilise en général la même proportion de farine que de sel). Pétrissez la pâte pour obtenir une masse consistante et malléable qui n'adhère pas au récipient.

2. Formez une boule de pâte de la grosseur d'un oeuf de poule et aplatissez-la sur la table de manière à obtenir un cercle d'environ 1 cm d'épaisseur. Avec le cure-dent, percez le haut du cercle afin de pouvoir suspendre votre plaquette par la suite. Si vous en avez envie, coloriez également la forme de base.

3. Pour les fleurs et les petites feuilles, préparez de la pâte salée colorée. Mélangez dans une tasse un verre à liqueur de farine et la même quantité de sel. Ajoutez un peu d'eau teintée à la peinture à doigts ou à la gouache épaisse.
Choisissez par exemple, du rouge pour les fleurs et du vert pour les feuilles.

4. Pour les fleurs, formez des petites boules de pâte de la taille d'une perle. Aplatissez-les et posez-les sur le cercle. Modelez autant de petites fleurs que vous en avez envie.

5. Avec la pointe du couteau de cuisine, dessinez des petits sillons tout autour de la fleur, enfoncez à l'aide du cure-dent une petite boule blanche dans le milieu de la corolle.

6. Aplatissez une minuscule boule de pâte sur la table et modelez-la en forme de feuille. Avec la pointe du couteau, posez la feuille à côté de la fleur et dessinez les nervures.
Entourez chaque fleur de 4 à 5 feuilles. Elles peuvent être légèrement superposées ou cacher une partie de la fleur.

7. La plaquette terminée doit être cuite durant 30 à 40 minutes à 150 degrés dans un four préchauffé. La pâte salée va devenir suffisamment dure pour que vous puissiez suspendre votre plaquette.

8. Une fois que la forme a complètement refroidi, pulvérisez-la de laque pour que les couleurs ne s'estompent pas.

Broche en pâte salée

Matériel
- 150 gr de farine
- 150 gr de sel
- un peu d'eau
- un petit récipient
- différents restants de store
- un petit couteau de cuisine
- des gouaches
- un pinceau
- de la laque transparente en aérosol
- de la colle forte
- une épingle (en vente dans les magasins de bricolage)

Ce ravissant bijou va certainement émerveiller toutes les mamans. Cette technique vous permet aussi de réalisér une petite plaquette murale plutôt qu'une broche. Dans ce cas vous devez cependant prévoir un moyen de suspension.

1. Mélangez la farine, le sel et un peu d'eau et pétrissez cette pâte salée. Veillez à ce qu'elle ne colle pas et à ce qu'elle n'adhère pas au récipient.

2. Prenez un peu de pâte pour modeler la forme de base de votre broche. Celle-ci peut être ovale, carrée ou rectangulaire.

4. A l'aide du couteau de cuisine, taillez les petits morceaux imprimés de pâte salée pour leur donner la forme que vous souhaitez. Disposez-les ensuite sur la forme de base selon votre goût. Vous pouvez même ajouter des petites perles ou des languettes en pâte salée. Disposez-les sur la broche au gré de votre fantaisie en les pressant légèrement.

7. Dès que la couleur est sèche, pulvérisez la broche de laque.

8. La laque doit également sécher. Pour terminer, fixez l'épingle au dos de la broche avec de la colle forte.

3. A l'aide d'un rouleau à pâtisserie, étendez quelques petites portions de pâte sur les différents restants de store.
Détachez doucement les restants de store de la pâte salée. Les motifs des stores sont maintenant imprimés dans la pâte.

5. La broche doit cuire à 150 degrés durant 30 minutes.

6. Une fois que la broche est dure et sèche, vous pouvez la peindre avec des gouaches.

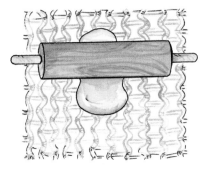

Hérisson en terre

Matériel
- de la terre glaise (s'achète uniquement par kilo dans les magasins de bricolage)
- une plaquette en bois
- une brochette en bois pour grillades
- un sachet de poudre d'émail pour argile (en vente dans les magasins de bricolage).

Ces petits animaux sont des bibelots très décoratifs pour une étagère ou un buffet.
Et tant que vous y êtes, pourquoi ne pas bricoler toute une famille d'hérissons et de canards? Vous verrez, c'est ravissant!
Pour la cuisson des objets, le mieux est de vous renseigner auprès du magasin de bricolage où vous achetez l'argile.

1. Prenez une peu de terre et formez une boule de 3 à 4 cm de diamètre. Aplatissez-la légèrement sur la planchette en bois de manière à ce que la base soit lisse.

2. Pincez avec le pouce et l'index l'avant de la boule pour former un petit museau.

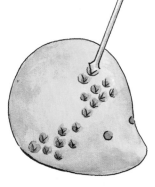

3. Enfoncez légèrement la pointe de la brochette en bois de part et d'autre de la tête pour dessiner les yeux.

4. Il faut encore recouvrir votre hérisson de piquants. Avec la pointe de la brochette en bois, faites un grand nombre de petits creux sur tout le corps de l'animal, en veillant à ce qu'ils soient très rapprochés les uns des autres.
Le petit museau doit naturellement rester dégagé.

5. Le hérisson terminé doit sécher durant une semaine avant d'être cuit. Si vous avez envie, émaillez-le après la cuisson pour lui donner un aspect brillant. Pour l'émaillage, suivez avec précision le mode d'emploi du sachet de poudre. L'émail doit également être cuit.

Canard en argile

1. Formez à nouveau une boule d'argile de 3 à 4 cm de diamètre et aplatissez-la légèrement sur la planchette de manière à obtenir une base lisse.

2. Pincez légèrement l'arrière de la boule pour former la queue du canard.

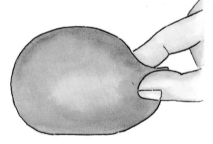

3. Ensuite, appuyez le doigt sur l'avant de la boule pour former une petite plate-forme.

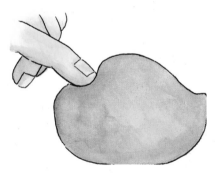

4. Façonnez une petite saucisse et aplatissez-la. Voici le bec de votre canard. Posez-le sur la petite plate-forme en le pressant légèrement.

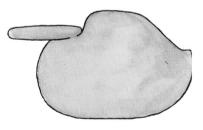

5. Façonnez une petite boule pour la tête et posez-la sur le bec. Passez vos doigts humides sur toutes les jointures pour bien les boucher. Creusez les orifices pour les yeux avec la pointe de la brochette en bois.

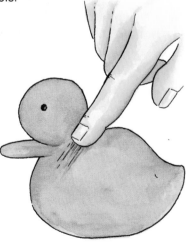

6. Laissez sécher le canard durant une semaine, puis procédez à la cuisson (pour l'émaillage, cf. l'hérisson en argile).

Petits plats en papier mâché

Matériel
- 8 à 10 feuilles de papier journal
- de la colle d'amidon
- un récipient pour préparer la colle
- un plat en porcelaine (forme et taille au choix)
- un gros pinceau
- 4 brochettes en bois pour grillades
- 5 couleurs laquées de différents tons
- une bouteille de dissolvant.

Vous devez disposer d'environ 6 jours. Le plat en papier mâché doit reposer durant 2 jours pour sécher. Après en avoir laqué l'extérieur et l'intérieur, il doit à nouveau sécher durant 4 jours.
Comme les couleurs laquées dégagent une odeur très forte, ouvrez bien grand la fenêtre pendant que vous travaillez et rangez le plat dans une pièce vide jusqu'à ce qu'il soit sec.

1. Recouvrez votre surface de travail d'une toile cirée et enfilez une vieille chemise pour protéger vos vêtements.

2. Déchiquetez 8 à 10 feuilles de papier journal.

3. Préparez la colle d'amidon selon le mode d'emploi qui se trouve sur l'emballage. Utilisez un récipient dans lequel vous pouvez facilement glisser 2 ou 3 doigts.

4. Posez le plat renversé sur la table et, avec vos doigts, enduisez le fond et les parois externes de colle. Disposez les petits morceaux de papier journal sur le plat et enduisez-les un à un de colle. Veillez à ce que tout le plat soit uniformément recouvert de papier journal.

5. Une fois que vous avez utilisé tous les morceaux de papier journal, lissez bien la surface du plat et faites-le cuire durant 30 minutes à 150 degrés dans un four préchauffé.
Ensuite, sortez le plat du four et laissez-le refroidir sur la grille.

6. Détachez prudemment le plat en papier mâché du plat en porcelaine. Appliquez une couche de colle sur le bord du plat en papier mâché pour le rendre bien lisse. Maintenant il a la même forme que le plat en porcelaine. Laissez-le sécher durant environ 2 jours. Dès qu'il vous paraît léger et sec, vous pouvez commencer à le peindre.

7. Posez-le, renversé, sur du papier journal. A l'aide du gros pinceau, recouvrez-le entièrement d'une couleur de base de votre choix. Quand vous avez terminé, nettoyez soigneusement le pinceau avec du dissolvant. Si par mégarde vous avez fait des taches sur votre peau ou sur vos vêtements, effacez-les également avec le dissolvant.

8. Pour étendre les autres couleurs, il vous faut une brochette en bois par couleur. Trempez tour à tour chaque brochette dans un pot de couleur et faites couler des gouttelettes sur la couche de base tant qu'elle n'est pas encore sèche. Les couleurs vont se mélanger et former des motifs très originaux.

9. Les couleurs laquées doivent sécher durant 2 jours. Ensuite, vous pouvez peindre l'intérieur du plat selon le même principe. Il faut à nouveau 2 jours de patience pour que tout soit bien sec.

Suspension pour fleurs

Matériel
- de la terre glaise (s'achète par kilo dans les magasins de bricolage)
- un rouleau à pâtisserie
- une feuille de papier journal
- un petit couteau
- une brochette en bois pour grillades
- un tamis
- un sachet de poudre d'émail (en vente dans les magasins de bricolage).

Ce bricolage est particulièrement décoratif, mais pour le réaliser, vous devez disposer d'un moyen de cuisson.

Le mieux est de vous renseigner auprès du magasin de bricolage où vous achetez la terre.

Si le coeur vous en dit, vous pouvez peindre la suspension après la cuisson. Les couleurs appropriées existent également dans les magasins de bricolage.

1. Recouvrez la table d'une toile cirée et ayez à portée de la main une petite carafe d'eau car vous devrez souvent humidifier vos doigts. Recouvrez d'une étoffe la portion de terre dont vous n'avez pas besoin dans l'immédiat pour éviter qu'elle devienne sèche et friable.

2. Prenez environ la moitié de la masse d'argile et déroulez-la avec un rouleau à pâtisserie ou une bouteille, de façon à obtenir un rectangle de l'épaisseur d'un doigt. Cette plaque deviendra la face arrière de votre suspension à fleurs.

3. Formez un second rectangle à partir d'une autre portion de terre. Celui-ci deviendra la corbeille de la suspension. Ce rectangle doit être un peu plus petit que le précédent.

4. Roulez le papier journal en boule et posez-le sur la moitié inférieure de la face arrière. Recouvrez la boule de papier avec la petite plaque d'argile (cf. le dessin) et appuyez bien fort les bords gauche, droit et inférieur.

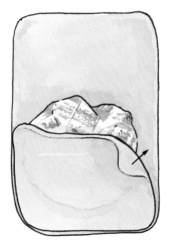

5. Humidifiez vos doigts et passez-les sur les jointures des bords jusqu'à ce qu'elles soient bien lisses. Pliez le bord supérieur de la corbeille vers l'extérieur et à l'aide de vos mains, donnez lui un aspect légèrement ondulé.

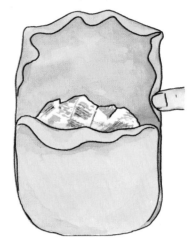

6. Pour fixer la suspension au mur, une fois qu'elle sera terminée, faites un orifice avec la brochette en bois dans chaque coin supérieur de la face arrière.

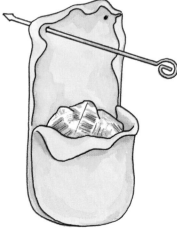

7. Vous pouvez décorer votre suspension avec des petites fleurs et des feuilles. Avec la pointe du petit couteau ou de la brochette, exercez une légère pression sur tous les ornements et glissez vos doigts humides dessus, sinon ils risquent de se détacher au moment de la cuisson.
Si vous voulez ajouter un peu de mousse, faites passer un peu d'argile à travers le tamis.

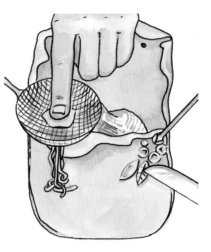

8. La suspension doit sécher durant une semaine avant de pouvoir être cuite. Pour que la corbeille de la suspension reste bien gonflée, n'ôtez pas la boule de papier journal au moment de la cuisson. Le papier va entièrement se consumer à l'intérieur du four.

9. Pour rendre la suspension imperméable, il faut l'émailler après la cuisson. Suivez le mode d'emploi du sachet de poudre d'émail. L'émail doit également être cuit.

10. Si malgré l'émaillage votre suspension n'est pas imperméable, glissez un sac en plastique dans la corbeille avant de la remplir de terre. Si vous plantez une fleur ou un petite plante dans la suspension, votre maman se réjouira encore pendant très longtemps de ce cadeau.

2. Enduisez le coin inférieur du coeur d'une couche assez épaisse de colle. Disposez vos fleurs et herbes séchées sur la colle tant qu'elle est encore liquide. Si vous préférez, faites d'abord un petit bouquet, et collez-le ensuite de façon à ce que les herbes et fleurs restent collées entre les deux coeurs en papier.

3. Enduisez un cœur de colle et superposez-y l'autre cœur.

4. Pour suspendre cette charmante décoration, enfilez l'aiguille, faites passer le fil à travers le milieu supérieur du coeur et nouez-le.

Meilleurs voeux

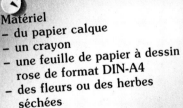

Matériel
- du papier calque
- un crayon
- une feuille de papier à dessin rose de format DIN-A4
- des fleurs ou des herbes séchées
- de la colle
- des ciseaux
- une aiguille
- du fil

Pour réaliser ce bricolage, il vous faut des fleurs et des herbes séchées. Cueillez-les lors d'une promenade et suspendez-les par les tiges durant quelques semaines, jusqu'à ce qu'elles soient sèches.
Vous pouvez aussi acheter des fleurs séchées chez un fleuriste.

1. Décalquez deux fois le coeur sur le papier à dessin, d'après le modèle de la grande feuille du catalogue, et découpez-le (cf. page 14 pour décalquer des modèles).

Petits oiseaux

Matériel
- 1 anneau en bois pour rideaux de 5 cm de diamètre
- 1 boule en bois de 0,5 cm de diamètre
- 1 boule en bois de 1 cm de diamètre
- de la colle
- un restant de feutre rouge
- des ciseaux
- de la mousse
- des fleurs ou des herbes séchées
- 2 à 3 plumes
- du fil

Ce petit oiseau dans son anneau convient très bien pour orner un joli bouquet de branches en fleurs. Les coeurs en papier avec les fleurs séchées s'harmonisent aussi parfaitement avec un bouquet (cf. la page voisine).

1. Collez la grosse boule en bois à l'intérieur de l'anneau. Elle constitue le corps de votre petit oiseau.

2. Pour former la tête, collez la petite boule en bois sur le corps.

3. Découpez un petit losange dans le restant de feutre rouge et collez-le au milieu de la tête. Ceci donne l'impression que l'oiseau ouvre tout grand son bec.

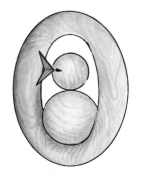

4. Pour la queue, collez 2 à 3 plumes sur la face arrière de la boule en bois.

5. Collez un peu de mousse, des herbes et fleurs séchées autour de la partie d'anneau où l'oiseau est assis.

6. Attachez un fil autour du milieu supérieur de l'anneau pour que votre petit oiseau puisse se balancer.

Bon anniversaire!

Durant toute l'année, chaque enfant attend avec impatience la date de son anniversaire, car c'est souvent l'occasion d'organiser une joyeuse fête avec tous ses amis.
Pour les cartons d'invitation, feuilletez le chapitre "NOUS INVITONS".
Après le goûter, vous aurez certainement envie d'organiser des jeux et de distribuer des cadeaux à tous les gagnants. Vos convives seront ravis d'emporter en souvenir de la fête un petit objet que vous aurez bricolé vous-même. Et rien que le fait de préparer avec toute la famille les cadeaux, les lots et tout ce qu'il faut pour décorer la table, est déjà un plaisir en soi.

Matériel

- un cake
- de la crème au chocolat pour la glaçage
- une spatule
- des dragées en chocolat multicolores
- des gommes en forme d'ourson
- 2 feuilles de papier de soie de différentes couleurs
- un crayon
- une règle
- des restants de papier de couleur
- une ficelle assez mince (d'environ 70 cm de long)
- 2 brochettes en bois pour grillades
- 2 cure-dents
- des ciseaux
- de la colle
- une serviette bleue

Gâteau navire

Ce délicieux gâteau-navire ne manquera pas d'époustoufler tous vos convives. Demandez à votre maman de faire un cake que vous pourrez décorer ensuite.

1. Versez le glaçage chocolaté sur le gâteau refroidi et étendez-le avec la spatule. Pour la préparation du glaçage, suivez le mode d'emploi du sachet.

2. Pour les hublots, collez les dragées en chocolat multicolores sur les côtés longitudinaux du navire. Comme le glaçage est collant et liquide, les dragées vont adhérer sans problème.

3. Les oursons en gomme sont les matelots du navire. Placez-les en rangées sur le "pont".

4. Maintenant vous devez confectionner les voiles du navire. Posez une brochette en bois sur le papier de soie, comme indiqué sur le dessin. La pointe de la brochette doit dépasser le bord inférieur de 2 cm. Cette pointe sera enfoncée par la suite dans le gâteau. A l'aide de la règle, mesurez 20 cm le long du bord inférieur.
Tracez ensuite une ligne reliant le point A au point B en prenant comme point de repère la hauteur

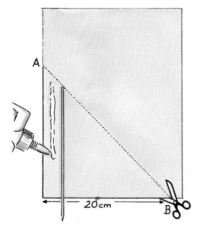

de la brochette (cf. le dessin). Coupez le papier de soie le long de cette ligne.

5. Enduisez la petite bande de gauche de colle et enroulez-la autour de la brochette en serrant bien fort. Coupez le petit triangle qui se trouve au-dessus de la brochette.

6. Procédez de la même manière pour la seconde voile.

7. Enfoncez les deux mâts qui portent les voiles au milieu du gâteau, en veillant à ce qu'ils soient bien rapprochés l'un de l'autre.

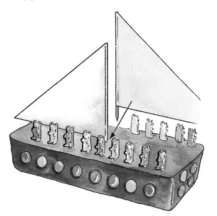

8. Piquez un cure-dent en oblique dans la proue et la poupe du navire (l'avant et l'arrière), afin de pouvoir attacher par la suite votre guirlande de drapeaux.

9. Pour que votre bateau ait l'air tout à fait authentique, confectionnez une guirlande de drapeaux. Tracez environ 10 carrés de 2,5 cm de côté sur du papier de couleur et découpez-les. Pliez-les en triangle et collez-les comme des fanions le long d'une ficelle de 70 cm de longueur (cf. le dessin).

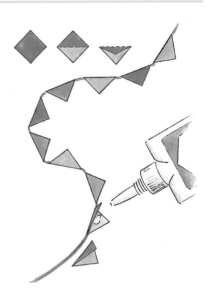

10. Le début de la ficelle doit être fixé à un cure-dent. Ensuite, faites passer la guirlande au-dessus des mâts en l'enroulant deux fois autour de ceux-ci. Puis, attachez l'autre extrémité de la ficelle au cure-dent opposé.

11. Posez votre navire sur une serviette bleue pour donner l'impression qu'il flotte sur la mer.

Maisonnette
en biscuit

Matériel
– le jus d'un demi-citron
– un peu de sucre en poudre
– un petit plat
– 2 biscuits au beurre
– un chocolat
– un ourson en gomme
– un couteau de cuisine
– une règle
– une spatule
– un petit tamis

Cette maisonnette en biscuit recouverte de sucre en poudre et entourée de ses charmants petits habitants, convient surtout pour les anniversaires que l'on fête durant l'hiver.
Posez-la sur la table en guise de décoration ou offrez-la à l'un de vos invités. Ces maisonnettes ont toujours beaucoup de succès. La liste des ingrédients reprise ci-dessus a été établie pour une maisonnette. Si vous voulez en construire plusieurs, préparez à l'avance les quantités nécessaires.

1. D'abord il faut préparer le glaçage sucré. Versez le jus d'un demi-citron dans le plat et ajoutez du sucre en poudre jusqu'à ce que vous obteniez un amalgame assez épais.

2. Avec la spatule, enduisez le centre d'un biscuit carré d'un peu de glaçage sucré et posez un chocolat dessus. Au bout d'un moment il va adhérer au glaçage.

3. A l'aide du couteau de cuisine ou de la règle, fendez le milieu d'un autre biscuit au beurre et brisez-le prudemment en deux. Posez les deux moitiés de biscuit sur le chocolat et fixez-les avec le glaçage.

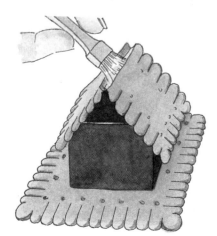

4. Posez un minuscule morceau de biscuit sur le toit en guise de cheminée et placez le petit ourson en gomme devant la maisonnette. Fixez-les également avec le glaçage sucré.

5. Pour terminer, prenez le tamis et saupoudrez toute la maisonnette en biscuit de sucre en poudre.

Cygnes en meringue

Matériel
- du papier-calque
- un crayon
- une feuille de carton blanc mince de format DIN-A5
- des ciseaux
- un crayon feutre
- une meringue achetée chez un pâtissier
- un couteau de cuisine
- une serviette bleue

Voici une décoration de table qui a vraiment de la classe. Ces cygnes ont une allure très élégante. Leur lac est un plateau recouvert de serviettes bleues.
Il faut un cygne pour chaque invité.

1. Décalquez la tête et la queue du cygne sur le carton blanc d'après la page 223 du catalogue (voir page 14 pour décalquer des modèles). Puis, découpez ces deux formes.

2. Avec le crayon feutre, dessinez le bec et les yeux de part et d'autre de la tête.

3. Prenez le couteau de cuisine et entaillez légèrement l'avant et l'arrière de la meringue. Glissez le cou et la queue du cygne dans ces fentes.

Petite locomotive

Matériel
- du papier-calque
- un crayon
- du carton fort (une feuille d'environ 12 x 12 cm)
- des ciseaux
- des restants de tissu
- de la colle
- une aiguille
- du fil

Ce bricolage ne demande que peu de temps et est très amusant à réaliser. Demandez à des amis de vous aider à décorer une locomotive avec des restants d'étoffe. C'est une activité idéale pour animer une fête d'anniversaire.
Et pourquoi ne pas offrir la locomotive au gagnant d'un jeu?

1. Décalquez la forme de la locomotive sur le carton et découpez-la.

2. Découpez des bandelettes et de jolis motifs dans les restants de tissu et collez-les sur la petite locomotive. Grâce aux différentes étoffes vous pouvez mettre en valeur la cabine de conduite, les roues et la cheminée.

3. Pour fixer votre locomotive au mur, faites passer un fil à travers la cabine de conduite et la cheminée et nouez les extrémités ensemble.

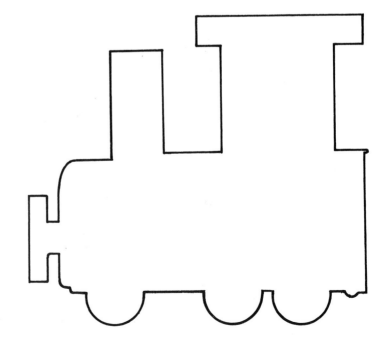

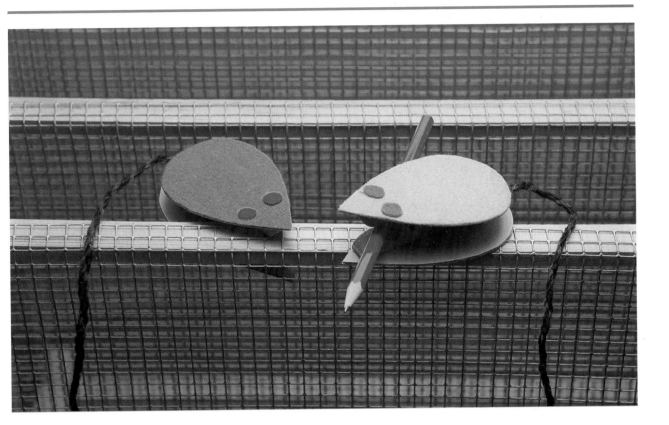

Souris à pince

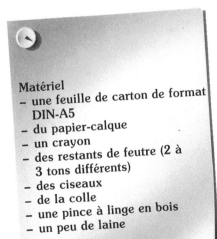

Matériel
- une feuille de carton de format DIN-A5
- du papier-calque
- un crayon
- des restants de feutre (2 à 3 tons différents)
- des ciseaux
- de la colle
- une pince à linge en bois
- un peu de laine

Cette petite souris est adorable. Au moment de dresser la table pour le goûter d'anniversaire, posez-la sur l'assiette à dessert de chaque convive en glissant un bonbon ou une ficelle avec un ballon gonflable dans son museau. Elle peut aussi servir de carton de table. Il suffit de glisser une petite carte avec le nom de chaque enfant dans son museau.

1. Décalquez deux fois le corps de la souris qui se trouve page 223 sur le carton et découpez ces formes.

2. Collez-les sur un morceau de feutre et découpez-les.

3. Collez une pince à linge entre les deux formes en carton de manière à ce que l'avant de la pince coïncide avec le museau de la souris. Du côté arrondi de la souris, vous pouvez serrer la pince. Les faces feutrées du carton doivent être à l'extérieur.

4. Découpez les yeux dans un restant de feutre d'une autre couleur et collez-les sur la face supérieure de la souris. Si vous en avez envie, ajoutez des moustaches. Coupez quelques fils de laine et liez-les ensemble au milieu, puis collez-les sur la pointe du museau.

5. Pour terminer, collez un gros fil de laine ou une ficelle crochetée à la place de la queue.

Matériel
- 2 bonbons dont l'emballage n'est enroulé que d'un seul côté
- un cure-pipe
- des ciseaux
- une petite fleur séchée ou une fleur en tissu
- une perle en bois d'1 cm de diamètre
- des gouaches
- un pinceau fin
- de la laque transparente en atomiseur
- des restants de tissu
- de la colle

Vendeuse de fleurs

Cette petite fleuriste va faire la joie des invités en les accueillant chacun à leur place avec un ravissant bouquet de fleurs.

1. Pour le corps de la fleuriste, reliez les deux bonbons avec le cure-pipe. Enroulez-le deux fois autour du haut de l'emballage, comme vous le montre le dessin.

Les extrémités du cure-pipe doivent être recourbées car ce sont les bras et les mains de la petite dame.

2. Raccourcissez les bras aux ciseaux pour qu'ils aient la longueur adéquate. Enroulez l'une des extrémités du cure-pipe autour d'une fleur séchée ou en tissu.

3. Ensuite, dessinez le visage. Piquez la perle en bois sur un pinceau pour qu'elle soit bien maintenue et plus facile à colorier.

4. Commencez par les cheveux. Dessinez-les au pinceau et à la gouache en partant de l'orifice supérieur jusqu'au bas du visage. Veillez cependant à laisser une frange.

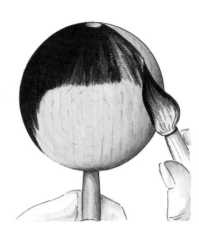

5. Pour les yeux, dessinez deux petits points sous la frange de part et d'autre du visage.

6. Faites deux minuscules points rouges à l'endroit du nez.

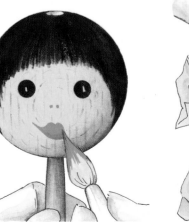

7. Dessinez une bouche en forme de croissant de lune.

Quand les couleurs sont sèches, pulvérisez le visage de laque pour bien les fixer.

8. Découpez un petit rectangle dans un restant du tissu et collez-le autour de la tête. C'est le foulard de votre petite fleuriste.

9. Ecartez le haut des deux emballages et faites couler une grosse goutte de colle au milieu. Posez la tête dessus en pressant légèrement jusqu'à ce qu'elle soit bien attachée.

Hérisson
à pattes

Ce bricolage a un attrait particulier. Comme les pattes du hérisson sont mobiles, chacun va croire qu'il marche vraiment. Bricolez-en plusieurs avec vos amis pendant la fête d'anniversaire ou préparez-en à l'avance pour récompenser les lauréats des jeux.

1. Décalquez la forme du hérisson sur le carton et découpez-le. La petite roue dentelée doit également être décalquée et découpée.

2. Recouvrez votre surface de travail de journaux ou d'une toile cirée et enfilez un tablier, avant de pulvériser les gouaches.

3. L'une des pointes du hérisson que vous avez découpée est plus grande que toutes les autres. C'est le museau. Recouvrez-le d'un papier, avant de commencer à pulvériser les couleurs.

4. Mélangez un peu de gouache noire avec un peu d'eau et trempez-y votre brosse à dents. Posez le hérisson devant vous et tenez le tamis au-dessus de l'animal. Frottez la brosse dans tous les sens contre le grillage du tamis.

5. Rincez le tamis et la brosse. Puis, pulvérisez la couleur brune de la même manière. Evitez que des grosses gouttes de couleur ne tombent sur le papier. Il doit être recouvert de fines éclaboussures. Celles-ci constituent les piquants du hérisson. La tête reste dégagée. Il faut juste dessiner un oeil au crayon brun.

Modèle à décalquer

Roue dentelée

Hérisson

6. Quand les couleurs sont sèches, fixez la roue dentelée contre le hérisson au moyen de l'attache parisienne. A l'aide de la perforatrice ou des ciseaux pointus, percez le point qui se trouve sur le corps du hérisson (voir le dessin). Percez également le centre de la roue dentelée.

7. Posez le hérisson sur la roue de façon à ce que les deux orifices coïncident et glissez l'attache derrière le hérisson.

8. Votre animal est terminé. Si vous le prenez par les piquants et que vous le faites avancer sur la surface qui n'est pas trop lisse, la roue va se mettre à tourner. Vos amis vont croire qu'il gambade sur ses petites pattes.

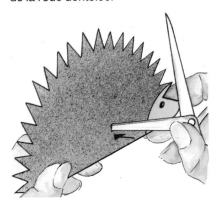

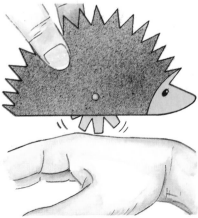

Animaux en noix

Matériel
- 2 demi-coquilles de noix
- des restants de papier à dessin brun ou du carton
- un crayon
- des ciseaux
- de la colle
- un peu de laine grise
- un crayon feutre noir
- du papier-calque

En deux temps trois mouvements, vous pouvez bricoler ces petits animaux. Ce sont des prix très appréciables quand vous organisez des jeux ou des loteries.

Tortue en noix

1. Décalquez le contour de la tortue sur du papier à dessin ou sur du carton et découpez-la.

Modèle à décalquer

2. Enduisez de colle le bord d'une moitié de coquille de noix et posez-la sur la tortue en carton. Le côté arrondi de la coquille constitue l'avant de la carapace, tandis que le côté pointu forme l'arrière et la petite queue.

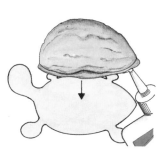

3. Avec le crayon feutre noir, dessinez les yeux et la bouche sur le papier à dessin.

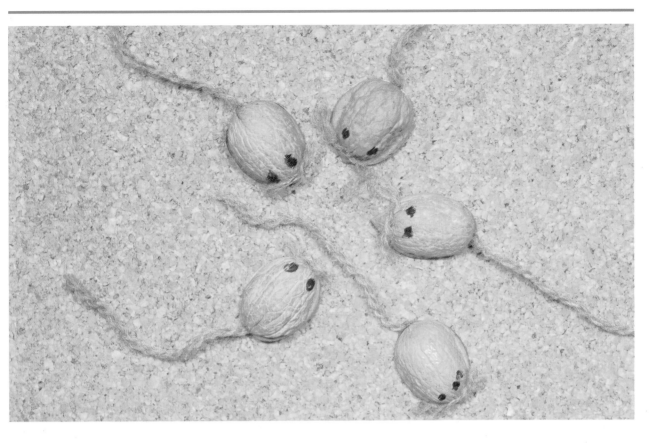

Souris en noix

1. Posez la demi-coquille de noix sur le carton et tracez le contour au crayon. Découpez cette forme.

2. Collez l'extrémité d'un fil de laine d'environ 12 cm de long contre le bord interne de la coquille. Le reste du fil pend à l'extérieur, du côté arrondi.

3. Enduisez le bord de la coquille de colle et posez la forme en carton dessus. Le fil de laine constitue la queue et pendille entre la coquille de noix et le carton.

4. Dessinez deux yeux au crayon feutre de part et d'autre du côté pointu de la coquille.

5. Pour la moustache, prenez un autre fil de laine assez court. Collez-le au milieu du museau et effilochez-le légèrement pour que la moustache ait l'air plus touffue.

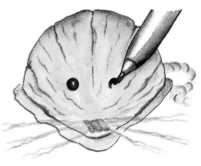

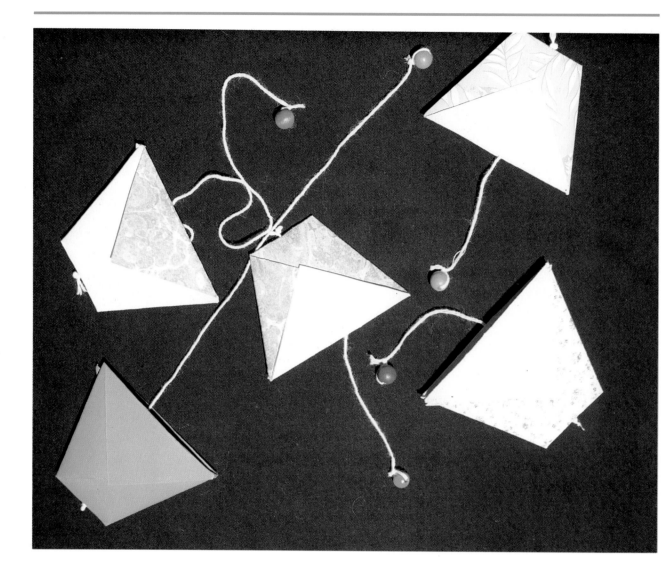

Gobelet-attrape

Matériel
– un restant de papier peint
– un crayon
– une règle
– des ciseaux
– de la colle
– une aiguille
– du fil
– une perle

Quand le temps n'incite pas aux jeux d'extérieur, profitez de l'occasion pour bricoler ce gobelet-attrape avec les petits amis que vous avez conviés à votre anniversaire. Quand chacun a terminé son gobelet, vous pouvez essayer à tour de rôle de lancer la perle en l'air et de la rattraper avec le gobelet. Cela demande beaucoup d'adresse. Le premier qui parvient à rattraper sa perle a gagné la partie.

1. A l'aide de la règle, dessinez un carré de 18 cm de côté sur le restant de papier peint et découpez-le. Ensuite, pliez 2 coins opposés l'un sur l'autre pour obtenir un triangle.

3. Pliez également l'autre coin vers la droite. Maintenant votre pliage ressemble déjà un peu à un gobelet.

5. Pour réaliser le gobelet-attrape, il vous faut une aiguille, un fil de 25 cm de long et une perle. Nouez grossièrement l'extrémité du fil et faites-le passer à travers le fond du gobelet (cf. le dessin). Attachez la perle à l'autre extrémité du fil. Le fil peut être plus long pour les enfants plus âgés et plus court pour les petits enfants.

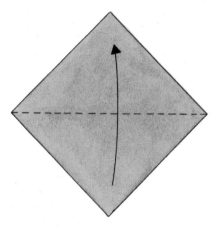

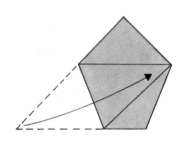

4. Il ne vous reste plus qu'à plier le coin supérieur qui est formé de deux pointes. Pliez l'une des pointes vers l'avant et l'autre vers l'arrière en descendant le plus loin possible. Le gobelet est terminé. Au cas où les pointes repliées auraient tendance à se redresser, fixez-les contre le gobelet avec de la colle.

2. Pliez l'un des coins du triangle vers la droite (voir le dessin). Puis, retournez votre pliage.

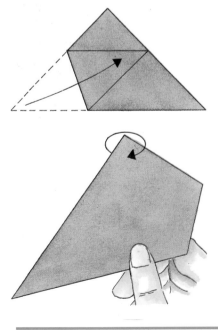

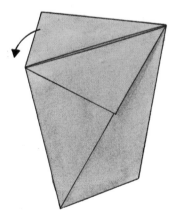

Corbeille
de pêche

Matériel
- une grosse aiguille à repriser
- une pince
- une bougie
- un pot à yaourt
- un fil de fer fin de 14 cm de long
- du papier crépon
- des ciseaux
- de la colle
- un crochet de taille moyenne
- une ficelle d'1 mètre de long
- un bâton
- une boîte en carton ou une caisse

Si vous organisez des jeux et des concours pendant votre anniversaire, distribuez ces petites corbeilles remplies de surprises et de sucreries à tous les gagnants.
Mais si vous préférez, vous pouvez aussi les utiliser pour le "jeu de la pêche".

Le jeu de la pêche

Il faut une corbeille garnie pour chaque enfant. Placez toutes les corbeilles dans le carton. Ensuite, 4 enfants doivent essayer en même temps de pêcher une corbeille. Ce n'est pas si simple car la ficelle est longue et difficile à manier.

1. A l'aide de la pince, prenez l'aiguille par le chas et chauffez la pointe au-dessus de la flamme d'une bougie. Avec l'aiguille échauffée, faites deux orifices dans le pot à yaourt. Les orifices doivent être juste sous le bord du pot et exactement en face l'un de l'autre. Glissez le fil de fer à travers ces orifices et recourbez les extrémités pour lui donner la forme d'une anse.

3. Aux deux endroits où le fil de fer est attaché au gobelet, incisez le papier crépon en partant du haut jusqu'au bord du gobelet.

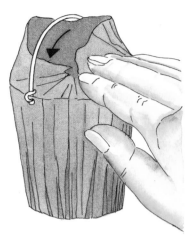

5. Pour confectionner la canne à pêche, enroulez l'une des extrémités de la ficelle autour d'un bout du bâton et fixez le crochet à l'autre extrémité.

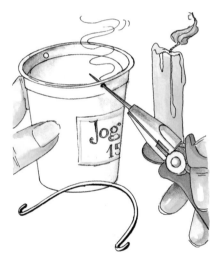

2. Coupez le papier crépon de façon à ce qu'il ait environ deux fois la hauteur du pot à yaourt et 25 cm de large. Enduisez le pot de colle et recouvrez-le de papier crépon. Comme le fond du gobelet est un peu plus étroit que le bord supérieur, plissez légèrement le bas du papier et collez les bords l'un sur l'autre.

4. Maintenant vous pouvez remplir votre gobelet de petits jouets et de sucreries. Puis, rabattez le papier crépon vers l'intérieur, au-dessus du bord du gobelet. Ainsi votre corbeille est fermée et personne ne peut deviner ce qu'il va pêcher.

Bonshommes de noisette

Chaque fois que vous organisez des jeux pendant une fête d'anniversaire, il faut des prix pour les gagnants. Plutôt que de les récompenser avec des sucreries, offrez-leur un de ces petits bonshommes de noix.

1. La boule en bois doit être coloriée et laquée comme pour la petite fleuriste de la page 124. Collez-la ensuite sur le côté plat de la noisette.

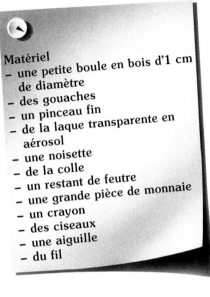

2. Découpez dans le restant de feutre une bande d'environ 1 cm de large et de 6 cm de long. Collez-la en écharpe autour de votre bonhomme de noix.

3. Posez la pièce de monnaie sur le feutre, tracez le contour au crayon et découpez ce cercle. Il va vous servir pour confectionner le chapeau du petit bonhomme.

4. Découpez un quartier du cercle.

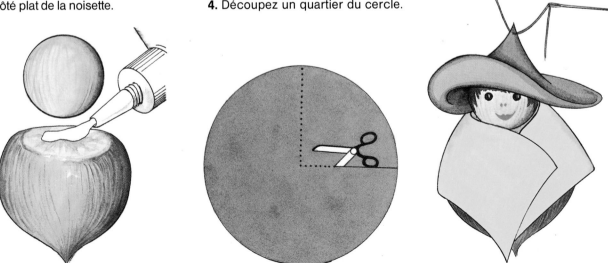

5. Collez les deux bords de l'ouverture du cercle l'un sur l'autre de façon à obtenir un cornet. Recourbez légèrement le bas du cornet vers le haut pour former un chapeau à larges bords.

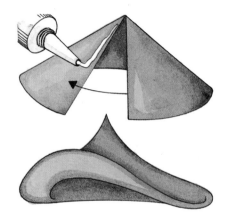

6. Collez le chapeau sur la tête et faites passer un fil par la pointe afin de pouvoir suspendre votre petit bonhomme de noix.

Décorations pour la chambre d'enfants

Une chambre d'enfants, c'est un petit territoire plein de secrets et de surprises, décoré de mille et une choses glanées ci et là, reçues d'un ami, d'une amie. C'est aussi un petit monde que l'enfant peuple de trésors fabriqués par lui-même. Ce chapitre propose une série d'idées de bricolage pour donner une note de gaieté particulière à ce domaine privilégié.

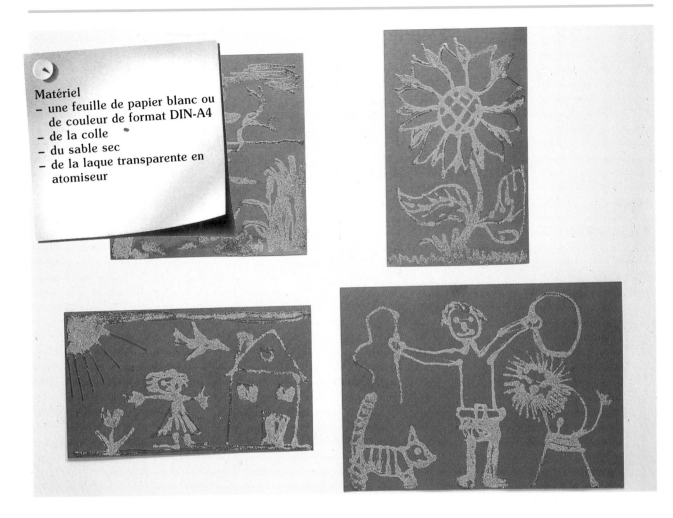

Matériel
- une feuille de papier blanc ou de couleur de format DIN-A4
- de la colle
- du sable sec
- de la laque transparente en atomiseur

Images de sable

Les matériaux pour ce bricolage sont faciles à rassembler. Puisez un peu de sable dans un bac à sable et laissez-le sécher à la maison. Vous pouvez aussi acheter du sable coloré dans un magasin de bricolage et réaliser des images multicolores.

1. Utilisez du papier blanc ou choisissez une couleur qui fasse bien ressortir le beige du sable.

2. Faites couler de la colle liquide sur la feuille en traçant des noeuds, des lignes, des cercles et d'autres motifs.

3. Eparpillez le sable sec sur toute la feuille et attendez jusqu'à ce qu'il adhère.

4. Secouez la feuille pour faire tomber le sable superflu. Les motifs tracés à la colle sont maintenant recouverts de sable et apparaissent clairement.

(Vous pouvez même tracer à la colle des fleurs, des arbres, des maisons, un lac, des roseaux et pourquoi pas tout un cirque? Ainsi vous aurez de ravissants tableaux.)

5. Quand la colle est bien sèche, vaporisez votre image de laque pour bien fixer le sable.

6. Pour encadrer l'image, collez-la sur une feuille de papier un peu plus grande d'une couleur assortie.

Train de cartes postales

Matériel
– des cartes de vue (le plus grand nombre possible)
– des restants de papier à dessin
– une boîte ronde d'environ 4 cm de diamètre
– un crayon
– des ciseaux
– de la colle
– du papier collant

Au fil du temps, vous accumulez certainement des tas de cartes de vue qui viennent des quatre coins de la terre. Avez-vous déjà pensé à les assembler pour former un long train avec d'amusants wagons? Voici comment il faut faire.

1. La boîte ronde sert à tracer le contour des roues. Posez-la sur le papier à dessin, tracez plusieurs fois le contour et découpez ces cercles. Il vous faut deux roues par wagon.

2. Collez deux cercles sur le verso de chaque carte de vue de manière à ce que la moitié du cercle dépasse du bord de la carte. Veillez à coller les roues du bon côté pour que le paysage ne soit pas à l'envers.
Pour la locomotive et pour certains wagons, prenez les cartes avec des photos en hauteur. Ainsi votre train sera particulièrement original. Les roues doivent alors être collées le long du côté étroit de la carte.

3. Prenez du papier collant et fixez les wagons les uns derrière les autres au mur de votre chambre. Vous voilà prêt pour le grand voyage!

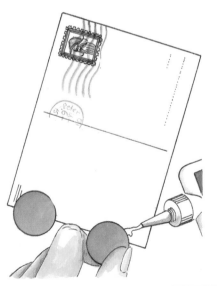

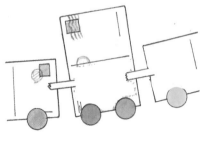

Arbre automnal

Matériel
- un morceau de carton de format DIN-A5
- du papier brun
- des restants de papier crépon vert, jaune et rouge
- de la colle

Même les petits enfants âgés de 3 à 4 ans sont en mesure de réaliser ce bel arbre aux couleurs automnales.
Vous serez certainement fier de le montrer à vos amis une fois qu'il sera suspendu dans votre chambre.

1. Déchirez le papier brun en bandelettes et collez-les en forme d'arbre sur le carton.

2. Déchirez le papier crépon en petits morceaux et faites-en des petites boules. Choisissez des couleurs automnales: du vert, du brun, du jaune, de l'orange et du rouge.

3. Répartissez ces petites boules sur les branches d'arbre. Quelques "feuilles" sont déjà tombées, d'autres sont en "chute libre".

4. Fixez l'image au mur de votre chambre avec une punaise ou du papier collant.

Hiboux
en ramie

Matériel
– un ruban de ramie brun foncé
– un ruban de ramie brun clair
– un ruban de ramie de couleur
   naturelle
– une règle
– un crayon
– des ciseaux
– de la colle
– une aiguille
– du fil

Pour que ces hiboux soient bien mis en valeur, suspendez-les le long d'une branche desséchée et légèrement noueuse.
Mettez la branche dans un vase ou fixez-la au plafond. Vous serez surpris de l'effet. Avec les matériaux énumérés ci-dessus vous pouvez confectionner un hibou. Si vous voulez en bricoler plusieurs, procurez-vous la quantité correspondante de ruban de ramie dans un magasin de bricolage.

1. Pour le corps du hibou il vous faut: 1 ruban de ramie brun foncé de 11 cm de long, 1 ruban brun clair de 7,5 cm de long et un ruban de couleur naturelle de 6 cm de long. Collez les différents rubans en cercle. Puis, collez les cercles l'un dans l'autre pour former le corps.

2. La tête est faite à partir d'un ruban de ramie brun foncé de 8,5 cm de long qui doit également être collé en cercle.
Collez la tête sur le corps.

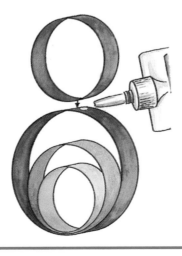

3. Pour chaque oeil, prenez un ruban brun clair de 4 cm de long et un ruban de couleur naturelle de 3 cm de long. Formez des cercles et collez-les l'un dans l'autre en veillant à ce que le brun clair soit à l'extérieur et celui de couleur naturelle à l'intérieur. Collez ces cercles à l'intérieur de la tête.

4. Pour les oreilles du hibou, prenez un ruban brun foncé de 6 cm de long. Entaillez les deux extrémités du ruban et collez-le horizontalement sur la tête.

5. Enfilez l'aiguille et faites passer le fil à travers la tête du hibou pour pouvoir le suspendre.

Matériel
- du papier-calque
- un crayon
- une règle
- un rouleau de papier de toilette vide
- un bloc de papier de couleur
- un cure-pipe de 30 cm de long
- un fil de laine
- un morceau de carton de format DIN-A5
- de la colle
- des ciseaux
- une perforatrice ou un ouvre-boîtes

Papillon

Ce joli papillon est fabriqué à partir de matériaux qui sont courants dans tous les ménages. Il n'y a que le cure-pipe pour les antennes que vous devrez sans doute acheter dans un magasin de bricolage. Si vous fixez votre réalisation au plafond de votre chambre, elle va se balancer douce-ment au moindre courant d'air.

1. Pour le corps du papillon, recouvrez le rouleau de papier de toilette de papier de couleur. Avec la règle et le crayon, tracez un rectangle de 10 x 18 cm sur du papier de couleur et découpez-le. Enduisez-le de colle et recouvrez le rouleau avec ce papier. (Le rouleau a 10 cm de long et environ 16 cm de circonférence. Collez les 2 cm de papier qui dépassent l'un sur l'autre).

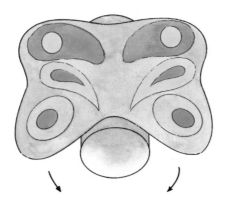

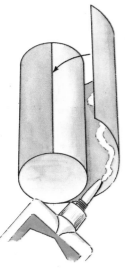

2. Décalquez le contour du papillon sur le carton d'après le modèle de la page 221 du catalogue (cf. page 14 pour décalquer des modèles). Si vous travaillez sur du carton coloré, il suffit de coller des tas de motifs multicolores sur la face supérieure des ailes. Si votre carton est gris ou blanc, recouvrez les deux faces de papier de couleur. Pour des collages, inspirez-vous de la photo de la page voisine.

3. Collez les ailes sur le corps et recourbez-les légèrement vers le bas.

4. Faites 4 orifices dans le dos et dans la tête du papillon: 2 pour les antennes et 2 pour le suspendre. Pour cela, servez-vous d'une perforatrice ou d'un outil comme, par exemple, un ouvre-boîtes. Le dessin vous montre où les orifices doivent se trouver.

5. Faites passer un cure-pipe de 30 cm de long à travers les deux orifices prévus pour les antennes. Recouvrez les extrémités du cure-pipe.

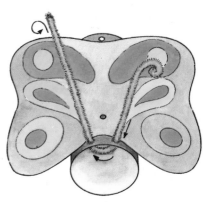

6. Ensuite, faites passer un fil de laine d'une longueur de votre choix à travers les deux orifices qui se trouvent dans le dos. Nouez les extrémités du fil ensemble pour suspendre ce ravissant papillon.

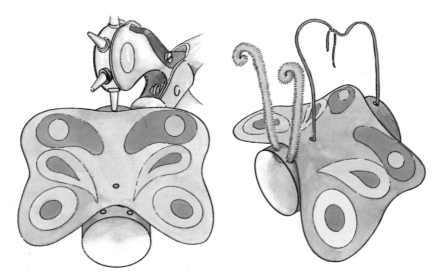

Escargot en papier peint

Matériel
- une feuille de papier à dessin de 77 x 50 cm
- un crayon
- différents déchets de papier peint
- de la colle d'amidon
- un récipient pour préparer la colle
- un pinceau

Voici un bricolage que vous pouvez réaliser en groupe. L'image en papier peint que vous voyez ici représente un escargot. Rien ne vous empêche naturellement de choisir un autre motif.

1. Recouvrez votre surface de travail d'une toile cirée. Puis, préparez la colle d'amidon dans le récipient en suivant le mode d'emploi de l'emballage.

2. Tracez le contour d'un escargot sur la feuille de papier à dessin.

3. Déchiquetez les déchets de papier peint. Enduisez l'esquisse d'escargot de colle et fixez des tas de petits ımorceaux de papier peint dessus. Comme vous disposez de différentes sortes de papier peint, collez chaque fois une vingtaine de petits morceaux d'un même motif les uns à côté des autres. Ainsi la spirale de la coquille d'escargot va apparaître clairement.

Flotte de pinces à linge

Les pinces à bricoler en vente dans le commerce, sont en fait des demi-pinces à linge en bois. Vous pouvez donc les acheter ou prendre une pince à linge en bois dont vous ôtez le petit ressort en fer. Avec les deux moitiés de pince, vous pouvez confectionner un petit bateau.

Pour obtenir un ravissant mobile, fabriquez plusieurs petits voiliers et suspendez-les à une branche ou au plafond de votre chambre.

1. Dessinez un carré de 8 cm de côté sur un restant de tissu et découpez-le. Pliez-le en triangle et coupez le tissu en deux le long du pli. Maintenant vous avez deux triangles identiques pour les voiles de votre petit bateau.

2. Posez l'un des triangles sur la table en veillant à ce que l'endroit du tissu soit en dessous. Posez le cure-dent sur le tissu de façon à ce que l'une des extrémités coïncide avec la pointe supérieure du tissu et que l'autre dépasse de 2,5 cm le bord inférieur de l'étoffe.

3. Enduisez le cure-dent de colle et répartissez également un peu de colle sur le tissu. Posez l'autre triangle exactement sur le premier et pressez-les ensemble.

4. Rangez la voile jusqu'à ce qu'elle soit sèche. Prenez deux demi-pinces à linge et enduisez les faces lisses avec de la colle à bois.

5. Pressez les deux moitiés de pince ensemble. Faites couler un peu de colle à bois dans le petite ouverture cylindrique et glissez le cure-dent avec la voile à l'intérieur. Pour suspendre le petit bateau, faites passer un fil par la pointe de la voile.

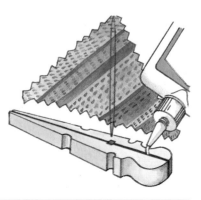

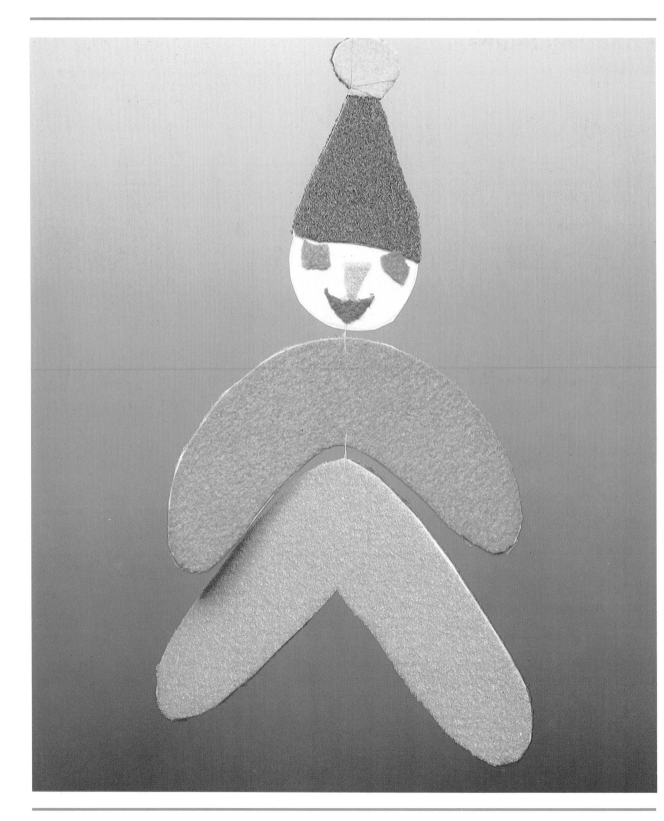

Pantin en papier feutré

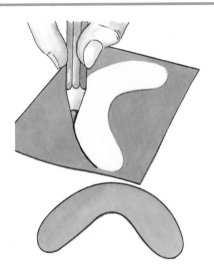

3. Tracez deux fois le contour des jambes sur une feuille de papier feutré d'une autre couleur et découpez-les. Collez-les également sur l'avant et l'arrière des jambes en carton.

Un pantin est toujours le bienvenu dans toutes les chambres d'enfants. Celui-ci n'est pas difficile à réaliser et gigote dans tous les sens quand il est suspendu à une lampe.

1. Décalquez les différents membres du pantin sur du papier-calque d'après le modèle de la grande feuille du catalogue. Reproduisez-les sur le carton blanc et découpez-les.

2. Reproduisez deux fois le contour des bras en carton sur le verso d'une feuille de papier feutré d'une couleur de votre choix. Découpez-les et collez-les sur les faces avant et arrière des bras en carton.

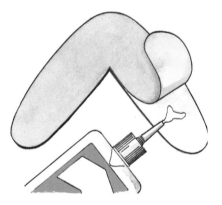

4. Maintenant vous devez reproduire deux fois le bonnet en carton sur du papier feutré d'une troisième couleur. Dans le catalogue des modèles bonnet et pompon forment une seule pièce. Veillez donc à reproduire d'abord uniquement le bonnet. Découpez les deux faces du bonnet et collez-les sur la forme en carton. Choisissez encore une couleur différente de papier feutré pour recouvrir le pompon en carton.

5. Découpez les yeux, le nez et la bouche dans des restants de papier feutré. Si vous avez envie, ajoutez des cheveux et une barbe et collez-les au bon endroit. La chevelure doit naturellement recouvrir l'arrière de la tête.

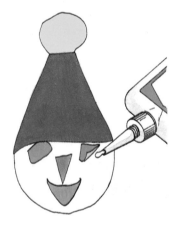

6. Avec une aiguille et du fil, reliez les différentes parties du corps. Faites passer un fil un peu plus long par le bonnet afin de pouvoir suspendre votre pantin.

Moulin à vent

Il vous est certainement arrivé d'être émerveillé en apercevant un moulin à vent lors d'une promenade à travers la campagne. Plus le vent souffle fort, plus les ailes tournent vite.

Contrairement à ce que vous pourriez croire, un tel moulin n'est pas difficile à bricoler.

1. Le rouleau de papier de cuisine vide constitue la tour du moulin. Vous pouvez le colorier avec des peintures à doigts ou le recouvrir d'une feuille de papier de couleur d'une dimension adéquate. Votre moulin peut être d'une ou de plusieurs couleurs et vous pouvez ajouter des portes et des fenêtres, au gré de votre fantaisie.

Pour peindre le rouleau, posez-le sur la table recouverte de papier journal. Tenez-le avec la main gauche par l'ouverture supérieure et peignez tout le contour au pinceau. Laissez sécher votre rouleau pendant la journée. Si vous l'avez recouvert de papier de couleur, vous pouvez immédiatement continuer votre bricolage.

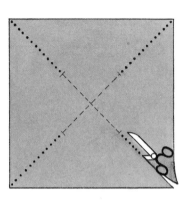

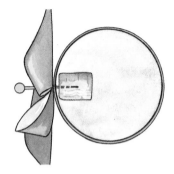

2. La roue du moulin est faite à partir de la feuille carrée de papier pliant. Choisissez un ton qui se détache bien de la couleur de la tour du moulin. Pliez deux coins opposés de la feuille l'un sur l'autre. Dépliez-la et faites la même chose avec les deux autres coins.

4. Maintenant vous avez 2 pointes dans chaque coin. Recourbez une pointe de chaque coin et piquez l'épingle à travers.
Une fois que vous avez épinglé toutes les pointes ensemble, piquez l'épingle à travers le milieu du carré. La roue de votre moulin est déjà terminée.

6. Le toit du moulin est fait à partir d'un cercle en papier noir. Prenez un gobelet dont l'ouverture est plus grande que le diamètre de votre rouleau et tracez le contour au crayon. Une fois que vous avez découpé ce cercle, faites une incision qui va du bord jusqu'au centre. Superposez légèrement les deux extrémités du cercle de façon à former une pointe. Le toit peut être en pointe ou arrondi, mais il doit être plus grand que le diamètre du rouleau. Faites un essai avant de coller les bords du cercle l'un sur l'autre.

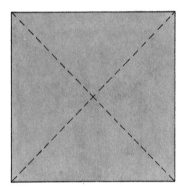

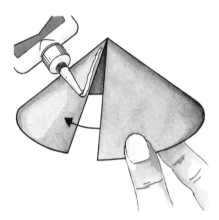

3. En partant des pointes vers le centre, coupez dans chaque pli jusqu'au 2/3 de la longueur. Suivez les lignes en pointillés du dessin.

5. La roue doit être fixée à environ 5 à 7 cm du bord supérieur de la tour. Faites passer l'épingle à travers le rouleau en carton et pressez un bouchon contre l'intérieur du rouleau à l'endroit où l'épingle perce. Ainsi la roue restera bien stable.

7. Une fois que le toit tient bien ensemble, enduisez le bord supérieur du rouleau d'un peu de colle et posez-le dessus. Pressez légèrement jusqu'à ce que la colle soit sèche.
Il suffit maintenant que le vent souffle pour que les ailes de votre moulin se mettent à tourner.

Poisson-pompon de laine

Ce poisson est fait à partir de tas de restants de laine de toutes les couleurs. Il a l'air très cocasse quand il est suspendu au plafond de votre chambre et qu'il se balance sans cesse. En plus, il est très amusant à confectionner.

Matériel
- un restant de carton
- une boîte ronde d'environ 6 à 7 cm de diamètre
- une grande pièce de monnaie
- du papier-calque
- des restants de laine
- des ciseaux
- une aiguille
- un crayon
- des restants de feutre de différentes couleurs
- de la colle

1. Reproduisez le contour de la boîte ronde sur le carton. Tracez le petit cercle qui se trouve au centre du grand en contournant la pièce de monnaie. Ensuite, découpez les deux cercles de façon à obtenir un anneau. Bricolez un deuxième anneau selon le même procédé.

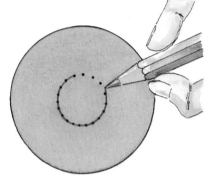

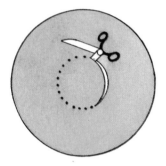

2. Posez les deux anneaux de même dimension l'un sur l'autre. Puis, enroulez un double fil de laine autour des anneaux, en veillant à ce que les boucles soient bien rapprochées les unes des autres. Une fois que vous êtes au bout du fil, tirez sur l'extrémité et enroulez un second fil sur le premier.
Faites la même chose avec le plus grand nombre possible de fils de laine de couleurs différentes. Il faut que le trou du centre devienne de plus en plus petit. Prenez une aiguille pour tirer sur l'extrémité du dernier fil.

3. Quand le trou est tout à fait comblé, vous pouvez arrêter d'enrouler des fils. Avec des ciseaux pointus, coupez le pompon en deux en longeant les bords des anneaux en carton.

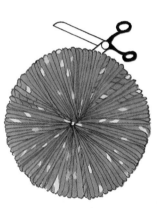

4. Faites passer un fil de laine assez résistant entre les deux anneaux. Tirez bien fort et nouez-le. Le fil doit être assez long car il vous servira à suspendre votre poisson.

5. Avec du papier-calque, reproduisez le museau et les nageoires du poisson sur des restants de feutre de couleur et découpez-les. Les formes à décalquer se trouvent à la page 222 du catalogue des modèles.

6. Collez ces parties dans le poisson-pompon de laine, comme vous le montre le dessin.

Animaux en carton ondulé

Presque tous les grands paquets contiennent du carton ondulé. Vous pouvez donc vous procurer gratuitement la matière de base nécessaire pour réaliser ces jolis animaux. Ce qui est très gai, c'est de constituer tout un zoo. Voici 3 exemples d'animaux réalisés de cette manière.

Lapin

1. A l'aide du crayon et de la règle, dessinez deux bandes de 2 cm de large et de 60 et 50 cm de long sur la face lisse du carton ondulé et découpez-les.

2. Pour le corps du lapin, prenez la bande de 60 cm de long. Enduisez la face lisse de colle et enroulez-la.

3. Avec la bande de 50 cm de long, confectionnez la tête de la même manière et collez-la sur le corps.

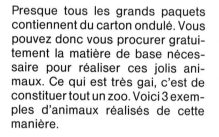

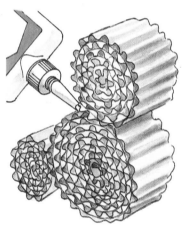

4. Les moustaches et les oreilles doivent également être découpées dans le carton ondulé et collées sur la tête. Le petit lapin est prêt à gambader.

Tortue

1. Pour la carapace de la tortue, il vous faut une bande en carton ondulé de 60 cm de long et de 2 cm de large. Enduisez le côté lisse de la bande de colle et enroulez-la.

2. Avec l'index, poussez légèrement le milieu de la bande enroulée vers l'extérieur afin que la carapace de la tortue soit plus arrondie.

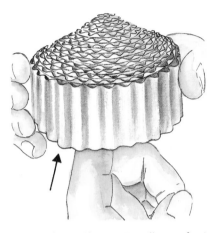

3. Pour les petites pattes, il vous faut 4 bandelettes en carton ondulé de 8 cm de long et de 1 cm de large. Enroulez et collez chaque bandelette ensemble. Fixez-les sous la carapace en les faisant dépasser à moitié et en veillant à ce que les pattes avant soient exactement en face des pattes arrière.

4. Découpez la tête de la tortue dans du carton ondulé et dessinez le visage dessus. Ensuite, collez la tête contre la carapace.

Elephant

1. Pour le corps, prenez une bande de 8 cm de large et de 50 cm de long. Enduisez-la de colle et enroulez-la.

2. Les pattes sont faites à partir de 4 bandes en carton ondulé de 7 cm de long et de 2 cm de large. Enduisez également ces bandelettes de colle et enroulez-les. Collez ensuite les pattes sous le corps.

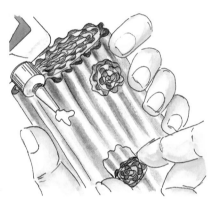

3. La tête est faite d'une bandelette de 50 cm de long et de 2 cm de large. Après l'avoir enduite de colle et enroulée, collez-la contre le corps.

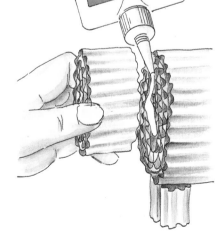

4. Pour la trompe et la queue, il vous faut deux bandelettes de 6 cm de long et de 0,5 cm de large. Enroulez chacune des bandelettes en carton ondulé autour de votre index en serrant bien fort. Puis, lâchez-les. Chaque bandelette restera légèrement recourbée en arc de cercle. Collez la trompe et la queue à l'avant et à l'arrière de l'éléphant en veillant à ce que le côté recourbé soit à l'extérieur.
Avec sa trompe relevée, votre éléphant a l'air de pousser un énorme cri.

5. Il ne manque plus que les grandes oreilles. Pour chacune, il faut une bandelette en carton ondulé de 50 cm de long et de 1 cm de large. Celles-ci doivent aussi être enduites de colle et enroulées. Ensuite, collez-les de part et d'autre de la tête de l'éléphant.

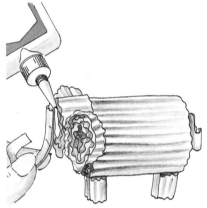

Petits cadeaux pour toute la famille

Quand vous êtes invité chez des amis ou des membres de votre famille, quel plaisir de leur apporter une petite surprise! Les grands-parents, les oncles et les tantes adorent recevoir des cadeaux que vous avez bricolés vous-même. Nombreuses sont les choses originales que vous pouvez confectionner à partir de matériaux bon marché. Un délicieux escargot à chocolats ou un petit tableau joliment emballé, fera certainement le bonheur de vos hôtes.
Imaginer et bricoler un cadeau pour quelqu'un qu'on aime bien, procure autant de plaisir que de l'offrir.

Main en plâtre

Matériel
- un sac de plâtre
- une récipient en plastique
- une spatule
- une boîte à fromage vide de 16 cm de diamètre
- une ficelle de 15 cm de long
- des peintures à doigts
- un pinceau

Cette empreinte de main est facile à réaliser et constitue un cadeau très original pour votre grand-mère ou votre grand-père. Elle permet de voir l'évolution de votre main d'année en année.

Pour vous rappeler de la période à laquelle vous avez fait l'empreinte, il faut indiquer votre nom et la date sur une petite étiquette au verso.

1. Versez un gobelet d'eau dans le récipient et ajoutez deux gobelets de plâtre. Mélangez bien cette masse avec la spatule et versez-la dans la boîte à fromage.

2. Nouez les extrémités de la ficelle ensemble et enfoncez le noeud dans le bord supérieur de la masse de plâtre.
Ainsi vous pourrez suspendre votre main.

Secouez doucement la boîte à fromage. Puis, soulevez-la légèrement et laissez-la retomber sur la table. De cette façon la couche supérieure du plâtre deviendra bien lisse.

3. Appuyez la main droite dans la masse moelleuse en écartant bien les doigts. Retirez prudemment votre main pour que l'empreinte reste bien nette.

4. Pendant que le plâtre sèche, lissez avec vos doigts humides les endroits qui sont encore rugueux. Détachez prudemment le bord de la boîte de la forme en plâtre et lissez également le contour avec vos doigts humides.

5. Quand le plâtre s'est entièrement solidifié (après environ 15 minutes), retirez votre forme de la boîte.

6. Pour bien faire ressortir l'empreinte de main, laissez-la en blanc et peignez le reste de la plaquette en plâtre avec des peintures à doigts.

Image sur assiette en carton

Matériel
- une assiette en carton rectangulaire
- des peintures à doigts
- un pinceau
- une attache adhésive pour tableau.

Les assiettes en carton rectangulaires conviennent bien pour des dessins car elles ont un bord cannelé qui ressemble à un cadre. Vos parents ou vos amis seront certainement ravis de recevoir un petit tableau signé de votre main.

1. Recouvrez votre surface de travail d'une toile cirée ou de journaux et enfilez un tablier ou une vieille chemise d'homme.

2. Versez les peintures à doigts dans un pot à yaourt et diluez-les avec un peu d'eau si elles vous semblent trop épaisses.

3. Dessinez votre image sur le fond de l'assiette en carton. Vous pouvez, par exemple, imaginer un paysage avec des arbres, des collines, des nuages et un soleil. Mais peut-être préférez-vous un grand voilier ou un poisson. Ici la fantaisie n'a pas de limites.

4. Le bord de l'assiette en carton constitue l'encadrement de votre tableau et doit être peint dans des tons assortis à votre dessin.

5. Pour terminer, collez l'attache adhésive au dos de l'assiette. Veillez à la fixer au milieu du bord supérieur pour que votre tableau ne soit pas suspendu de travers.

Tableau
de laine

Matériel
- une petite planche en bois rectangulaire (de 20 cm de large et de 25 cm de haut et d'une épaisseur de 1,5 cm)
- une vieille revue assez épaisse
- une boîte de petits clous (d'environ 2 cm de longueur)
- un marteau
- des fils de laine de différentes couleurs
- des ciseaux
- une attache adhésive pour tableaux.

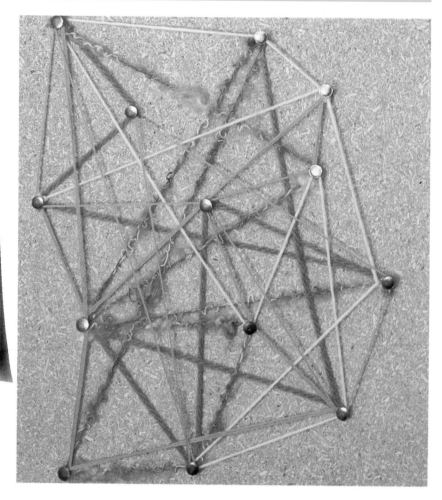

Ce bricolage amusera particulièrement ceux qui aiment manier un marteau et des clous. Mais faites bien attention de ne pas heurter vos doigts. Procurez-vous la planchette dans une menuiserie. Et dans la boîte à couture de votre maman, vous trouverez certainement des restants de fil de laine.

1. Posez la planchette en bois sur un journal pour éviter d'abîmer la table au moment de clouer.

2. A l'aide du marteau, enfoncez les clous dans la planchette de façon à ce qu'ils ne dépassent plus que de 0,5 cm.
Répartissez-les sur toute la planchette en les espaçant inégalement.

3. Choisissez 3 à 4 fils de laine de différentes couleurs. Ils doivent avoir 50 à 75 cm de long.

4. Tendez les fils sur la planche en commençant par le plus foncé. Attachez celui-ci à un clou et faites-le passer en zigzag au-dessus de la planche. Enroulez-le autour d'un clou chaque fois que vous voulez changer de direction.

5. Quand vous êtes arrivé au bout du fil, nouez-le à un clou et choisissez un fil d'une autre couleur. Veillez à tracer un chemin différent avec le second fil.

6. Lorsque vous prenez votre dernier fil de laine, vérifiez si vous avez bien contourné tous les clous. Si vous en avez oublié un, c'est le moment d'y remédier.

7. Ainsi vous avez créé un tableau abstrait dans lequel vous apparaîtra peut-être le contour d'une fleur, d'une maison ou d'autre chose. Selon le même procédé, vous pouvez naturellement aussi dessiner des objets ou des motifs comme, par exemple, un papillon.

8. Pour terminer, fixez l'attache adhésive au verso du tableau.

Boule – orange

Matériel
- une orange
- des clous de girofle
- du ruban pour emballages cadeaux

Voici un cadeau très parfumé que vous pouvez réaliser en un tour de main. Cette boule-orange peut rester suspendue à une branche ou au plafond d'une pièce durant 6 à 8 semaines, car après elle va commencer à se dessécher.

1. Passez le ruban de haut en bas autour de l'orange et croisez les deux extrémités sous le fruit. Puis, faites à nouveau passer le ruban vers le haut.

2. Nouez le ruban, au-dessus du fruit et faites un joli noeud décoratif avec les deux autres extrémités pour suspendre le fruit à la hauteur désirée.

3. Il vous reste à piquer des tas de clous de girofle dans l'orange en les espaçant légèrement.

Etres fabuleux en matériaux naturels

Pour bricoler ces petits êtres maléfiques, laissez libre cours à votre imagination et à votre fantaisie. C'est le plus important!

Chaque feuille, chaque brindille, chaque petite pierre peut donner naissance à une créature fabuleuse.

Quand vous vous promenez dans la forêt ou dans les champs, rassemblez les matériaux de base qui sont nécessaires pour ces petites figurines.

La prudence est de rigueur: créatures féériques, gnomes et animaux fabuleux, sont parfois bien fragiles. Mais si l'un d'eux se brise, vous pouvez très vite en créer un autre.

1. Le papillon sur la boîte d'allumettes est fait à partir de deux champignons de forêt collés sur une feuille de vigne séchée.

2. Le papillon qui se trouve à l'arrière de la photo de la page voisine, consiste simplement en deux feuilles de vigne collées ensemble.

3. Pour les petites fées des bois, prenez un cône d'épicéa ou un champignon de forêt. Il faut une noisette pour la tête et des involucres de noisette pour le col.

4. La tête et la queue du coq sont des involucres de noisette.
Le corps est une pomme de pin et le coq est assis sur un peu de mousse séchée.

5. Au milieu de la photo de la page voisine, vous voyez toute une rangée de gnomes.
Le corps du gnome est un gland sur lequel il suffit de coller un peu de laine brute en guise de chevelure. Le chapeau est une écorce de faîne. Vous pouvez constituer tout un groupe de petits gnomes et les poser sur un peu de mousse ou un morceau d'écorce d'arbre.

Escargot-boîte à chocolats

Matériel
- une feuille de papier à dessin DIN-A4 d'une couleur de votre choix
- un crayon
- des ciseaux
- de la colle
- un crayon feutre d'une couleur de votre choix
- une boîte à fromage ronde de 8 à 10 cm de diamètre
- une règle

A première vue, personne ne peut se douter que ce petit escargot dissimule des chocolats dans sa coquille. Celui qui ouvre la boîte sera d'autant plus surpris d'y découvrir ces délicieuses friandises.

1. Posez la boîte à fromage sur le papier à dessin et tracez le contour au crayon. Découpez ce cercle et collez-le sur le fond de la boîte. Recouvrez le couvercle de la boîte de la même manière.

3. Ensuite, dessinez au crayon feutre une spirale sur le couvercle et le fond de la boîte.

Pour tracer la spirale, prenez chaque fois comme point de départ le centre du cercle (voir le dessin). Maintenant la boîte a déjà l'allure d'une coquille d'escargot.

5. Tracez deux bandelettes de 10 x 0,5 cm sur le papier à dessin et découpez-le. Ce sont les cornes de votre escargot. Pliez chaque bandelette en deux, puis recourbez leurs extrémités d'environ 2 cm vers l'extérieur (voir le dessin). Ces languettes servent à coller les deux cornes sur la tête de l'escargot (cf. le dessin).

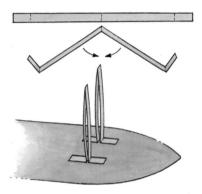

2. Avec le crayon et la règle, tracez une bande de 3 cm de large et de 32 cm de long sur le papier à dessin. Découpez-la et collez-la autour de la boîte.

4. Pour le corps de l'escargot, tracez à nouveau une bande de 3 x 20 cm sur le papier à dessin et découpez-la. Arrondissez les extrémités de la bandelette comme vous le montre le dessin.

6. Avec le crayon feutre, dessinez deux yeux sur les languettes avant et une bouche sur la pointe de la tête.

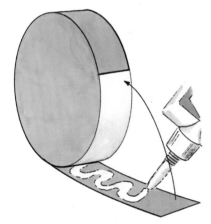

7. Remplissez la boîte de chocolats et collez-la sur le corps. Votre escargot est terminé.

Tableaux en laine brute

La toile de jute convient très bien pour ces tableaux, car les longues fibres ouatées de la laine brute s'accrochent à la toile rugueuse. Ceci évite de devoir coller la laine. Et si l'un des éléments de votre tableau n'est pas très réussi, il suffit d'ôter la laine et de recommencer.

Si vous êtes déjà un peu familiarisé avec cette technique, vous pouvez aussi composer une image sur une feuille adhésive transparente. L'image de la page voisine qui représente "Hänsel et Gretel" a été réalisée de cette manière.

Si vous utilisez une feuille adhésive, vous n'avez cependant plus la possibilité d'ôter la laine, car les fibres restent collées à la feuille.

1. Pour réaliser des images en laine brute, il faut étirer la laine avec les deux mains pour l'aplatir. Disposez-la ensuite sur la toile de jute ou la feuille adhésive et étirez les fibres pour obtenir la forme souhaitée.

Ici nous avons choisi un petit lutin pour vous montrer comment il faut procéder.

2. Prenez un ton châtain pour le tronc d'arbre, tirez la laine en longueur et disposez-la le long du bord droit de la toile de jute. Effilez quelques fibres pour former les racines et les branches.

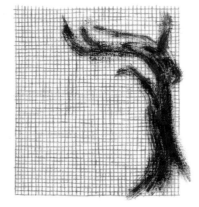

3. Ensuite, il vous faut deux nuances de vert. Avec le pouce et l'index, extirpez des petits flocons de laine et répartissez-les sur toutes les branches. Ce sont les feuilles de votre arbre.

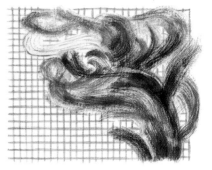

4. Extirpez à nouveau des flocons de laine vert clair et vert foncé et répartissez-les le long du bord inférieur de l'image. Ainsi vous avez une belle pelouse.

5. Pour l'habit du petit lutin, choisissez une nuance bleue. Etirez la laine en triangle et posez-la sur la toile juste à côté de l'arbre.

6. Les mains et le visage sont en laine non teintée.

7. Formez un petit triangle en laine violette pour le bonnet et posez-le sur la tête du lutin.

8. La barbe est faite de laine brute jaune ou brune.

9. Effilochez la laine rouge clair et foncé en petites languettes. Alignez et superposez-les pour former un feu follet autour duquel votre petit lutin va joyeusement danser.

10. L'image de "Hänsel et Gretel" qui se trouve ci-dessus a été réalisée de la même manière sur une feuille adhésive.

Inspirez-vous de cette photo pour composer un autre tableau.

Etui à lunettes

Voici un étui à multiples usages. Il peut tout aussi bien contenir des lunettes, que des stylos et des crayons, ou même du matériel de couture. En plus, il est très pratique, car il y a moyen de le fixer au mur.

1. Décalquez les deux parties de la pantoufle sur le carton, d'après les modèles de la page voisine. Puis, découpez-les.

2. La petite partie arrondie constitue le dessus de la pantoufle. Celle-ci doit être recouverte de tissu. Collez la forme en carton sur l'envers du tissu et découpez-la en veillant à laisser une bordure de tissu d'environ 2 cm de large.

3. Faites des petites incisions à 1 cm de distance l'une de l'autre, dans toute la bordure (cf. le dessin).

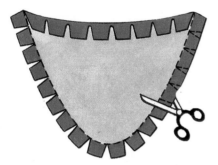

4. Ensuite, collez les languettes du bord supérieur droit vers l'intérieur (cf. le dessin). Le dessus de la pantoufle est terminé.

5. Les autres languettes doivent être collées autour de la partie la plus large de la semelle en carton. L'avant de la pantoufle va acquérir de lui-même une forme bombée.

6. A l'aide de la perforatrice, faites un orifice dans le talon de la semelle afin de pouvoir fixer l'étui au mur.

modèle à décalquer.

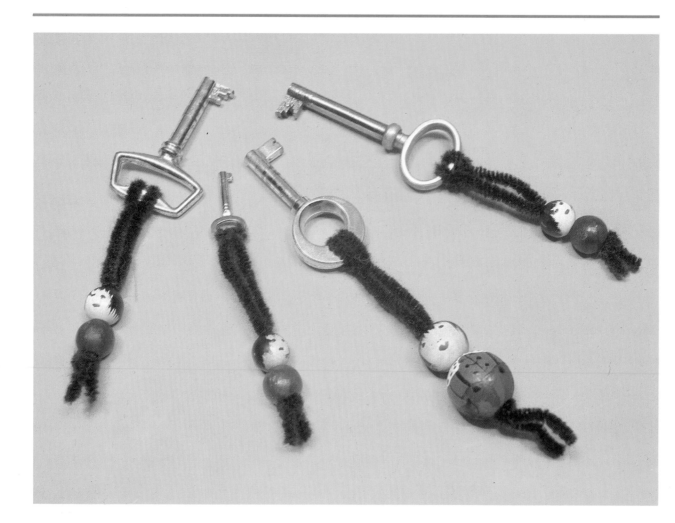

Porte-clefs

Matériel
– une perle en bois d'1 cm de diamètre
– une perle en bois d'1,5 cm de diamètre
– 2 perles en bois de 0,8 cm de diamètre
– des gouaches
– un pinceau assez fin
– de la laque claire en atomiseur
– des restants de fils en laine assez épais
– des ciseaux

Vous pouvez confectionner deux porte-clefs de formats différents: soit vous réalisez un petit bonhomme à partir des deux perles de 0,8 cm, soit vous réalisez un grand bonhomme avec les deux perles de 1 cm et de 1,5 cm.
A la place des fils de laine, vous pouvez aussi utiliser des cure-pipes pour attacher les clefs au petit bonhomme (cf. la photo ci-dessus).

1. Commencez par dessiner le visage de votre petit bonhomme en perles. Pour le grand bonhomme, prenez la perle ayant 1 cm de diamètre. Pour le petit, les deux perles sont de la même taille. Vous pouvez donc choisir n'importe laquelle pour la tête.
(Pour dessiner le visage, cf. la petite fleuriste de la page 124).

2. La perle inférieure du petit bonhomme qui est de même dimension que la tête, doit être de couleur unie. Elle constitue le corps. Ensuite, pulvérisez les deux perles de laque.

3. Pour le grand porte-clefs, la perle de 1,5 cm qui forme le corps doit être peinte en deux tons (voir le dessin). Ainsi le petit personnage a une chemise et un pantalon. Attendez que les couleurs soient sèches.

4. Dessinez un col blanc autour de l'un des orifices de la perle en bois.

5. Puis, dessinez les bretelles et les boutons, comme vous le montre le dessin.

6. Dessinez deux poches noires de part et d'autre du pantalon du petit bonhomme en perles.

7. Avec de la couleur blanche, faites ressortir les emmanchures de la chemise. Le bout des manches doit coïncider avec le bord des poches. Les mains du petit bonhomme sont donc dissimulées dans ses poches.

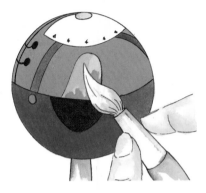

8. Une fois que la couleur est sèche, vaporisez les deux perles de laque.

9. Prenez un fil de laine de 15 cm de long. Pliez-le en deux et nouez les extrémités ensemble pour former une boucle. Enfilez le petit bonhomme à travers cette boucle.

10. Passez la boucle à travers la clef. Puis, tirez à nouveau le petit personnage à travers la boucle, comme sur le dessin.
Votre porte-clef est terminé.

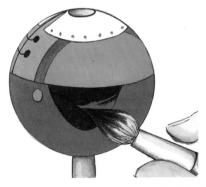

Arbre en pâte salée

Matériel
- 200 gr de farine
- 200 gr de sel
- 4 petits récipients
- des peintures à doigts
  (du brun, du vert clair, du vert foncé et du rouge)
- une brochette en bois pour grillades
- un couteau de cuisine
- un pinceau
- de la laque transparente en aérosol

Avec la pâte salée, vous pouvez réaliser de ravissants tableaux qui seront certainement très appréciés par vos amis et les membres de votre famille.

Comme cet arbre est difficile à transporter une fois que vous l'avez modelé, mieux vaut travailler directement sur une plaque en métal. Celle-ci servira de support pour laisser sécher la forme.

1. Préparez quatre masses de pâte salée de couleurs différentes. Il faut chaque fois mélanger 50 gr de farine et 50 gr de sel avec un peu d'eau préalablement teintée avec l'une des peintures à doigts. Ensuite, répartissez la pâte salée brune, rouge, vert clair et vert foncé dans quatre récipients.

2. Commencez par modeler le tronc. Avec la pâte salée brune, formez une saucisse de 12 cm de long et de 2 cm de large.
Posez-la ensuite sur la plaque et aplatissez-la.

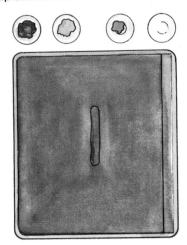

3. Faites une petite incision au couteau dans le bas de la saucisse et recourbez les deux extrémités vers l'extérieur. Voici les racines de l'arbre. Procédez de la même manière pour former les branches, en faisant une incision un peu plus profonde. Divisez l'une des extrémités en deux pour que la branche ait une ramification. Vous pouvez naturellement former plusieurs ramifications.

4. Ensuite, formez une série de petites boules de différentes grosseurs en pâte salée vert clair et vert foncé. Répartissez ces boules entre les branches de l'arbre en les disposant les unes à côté des autres (voir le dessin). Puis, aplatissez-les avec la main. Ainsi elles seront reliées et formeront un feuillage assez touffu.

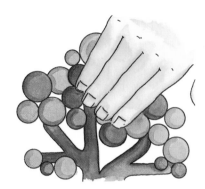

5. Formez des petites boules en pâte salée rouge. A l'aide la brochette en bois, piquez-les doucement sur toutes les feuilles. Ainsi l'arbre aura l'air d'être couvert de fruits savoureux.

6. Pour pouvoir suspendre votre arbre, faites un orifice avec le côté arrondi de la brochette dans la partie supérieure du feuillage.

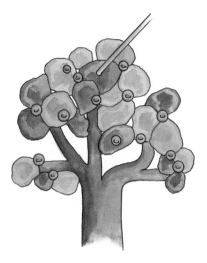

7. L'arbre doit être cuit durant une heure au four chauffé à 150 degrés.

8. Quand l'arbre est sec, retirez-le prudemment de la plaque et posez-le sur du papier journal. Ensuite, vaporisez-le de laque pour bien fixer les couleurs.
Et voici votre charmant tableau en pâte salée déjà terminé.

Faïence en pâte salée

Ces jolies faïences conviennent très bien pour décorer les murs et les étagères. Et vous verrez qu'il ne faut pas être un grand artiste pour les réaliser.

1. Mélangez 150 gr de farine et 150 gr de sel avec un peu d'eau pour obtenir une pâte salée incolore. Avec le restant de farine et de sel, préparez la pâte salée colorée. Mélangez chaque fois 50 gr de farine et de sel avec un peu d'eau teintée aux peintures à doigts (pour plus de détails, cf. page 170).

2. Avec les 2/3 de la pâte incolore formez une plaque de 10 cm de côté.

3. Avec la pâte salée verte, formez une saucisse d'environ 10 cm de long et d'1 cm d'épaisseur. Posez-la le long du bord inférieur de la plaque et aplatissez-la. C'est le gazon de votre petit tableau. A l'aide du couteau, faites des tas de petites rayures verticales dans la pâte verte, pour bien faire apparaître les brins d'herbe.

Matériel
- 350 gr de farine
- 350 gr de sel
- des peintures à doigts (du rouge, du vert, du bleu et du brun)
- 5 petits récipients
- un couteau de cuisine
- une brochette en bois pour grillades
- un tamis
- de la laque transparente en aérosol

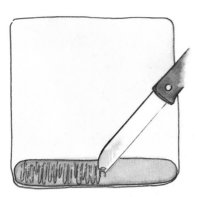

4. Le petit mouton peut être couché sous un arbre ou au milieu de grandes herbes sauvages.

5. Pour l'arbre, il vous faut une saucisse en pâte salée brune d'environ 4 cm de long et de 0,5 cm d'épaisseur. Posez-la le long du bord droit de la plaque et aplatissez-la. La cime d'arbre est faite de petites boules en pâte salée vert clair et foncé.
Divisez le haut du tronc en branches et répartissez-y les boules en les aplatissant.

6. Pour les hautes herbes, modelez une série de petites saucisses en pâte salée verte. Elles doivent avoir au moins 3 cm de long. Posez-les sur le gazon en leur donnant une légère ondulation. Puis, aplatissez-les (voir la photo).

7. Les fleurs des prés sont faites de petites boules en pâte salée rouge et bleue. Piquez-les dans le gazon avec la brochette en bois.

8. Le ciel au-dessus des herbes est formé à partir d'une saucisse en pâte bleue. Elle doit avoir environ 10 cm de long et 1 cm d'épaisseur. Posez-la le long du bord supérieur de la plaque et aplatissez-la.

9. Avec le côté arrondi de la brochette, faites un orifice dans le milieu du bord supérieur de la plaque afin de pouvoir la suspendre.

10. Le mouton est fait à partir d'une petite saucisse en pâte salée incolore de 3 cm de long. Posez-la sur le gazon et aplatissez-la de manière à obtenir une forme ovale.

11. Passez un peu de pâte salée incolore au tamis. Détachez prudemment les particules à l'aide du couteau et répartissez-les sur la forme ovale. Le corps du petit mouton est déjà terminé.

12. Pour la tête, il faut une boule d'environ 1,5 cm de diamètre dont l'un des côtés doit être modelé en pointe. Posez-la ensuite contre le corps.
Avec la brochette en bois, faites deux orifices de part et d'autre de la tête pour marquer les yeux.
Passez à nouveau un peu de pâte incolore au tamis et recouvrez-en partiellement la tête, comme sur le dessin.

13. Il vous reste à ajouter les oreilles. Modelez 2 petites formes ovales plates et piquez-les à gauche et à droite de la tête avec la brochette.

14. L'image terminée doit être cuite au four à 100 degrés durant une heure.

15. Une fois qu'elle est sèche, retirez-la prudemment de la plaque, posez-la sur un journal et pulvérisez-la de laque.

Matériel

– une feuille de papier à dessin de format DIN-A3
– une assiette à dessert
– un crayon
– des ciseaux
– de la colle
– des petits motifs adhésifs (étoiles, coeurs, cercles etc...)
– un restant de papier peint
– une règle
– 4 bonbons emballés
– une aiguille et du fil

Montgolfière

Imaginez la surprise de vos amis de voir atterrir chez eux une montgolfière dont la nacelle est remplie de jouets et de sucreries!
Une fois que tout a été déchargé, ce joli ballon peut naturellement aussi être suspendu au plafond d'une pièce.

1.Pour confectionner le ballon, découpez deux cercles de 18 cm de diamètre dans le papier à dessin. Tracez les cercles en prenant comme modèle une assiette à dessert dont le diamètre est à peu près identique. Ensuite, collez les 2 cercles l'un contre l'autre.

2.Décorez le ballon avec des motifs adhésifs ou faites de petits dessins au crayon feutre en vous inspirant de la photo ci-dessus.

3.Pour la nacelle, dessinez un carré de 16 cm de côté sur un restant de papier peint et découpez-le. Pliez deux côtés opposés du carré l'un sur l'autre. Dépliez-les et faites la même chose avec les deux autres côtés.

4.Ensuite, pliez les quatre coins du carré vers le centre.

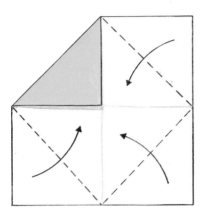

5.N'ouvrez pas ce pliage, mais pliez deux côtés opposés jusqu'à la ligne médiane et aplatissez bien ce pli. Dépliez à nouveau ces deux côtés et procédez de la même façon avec les deux autres côtés.
Puis, dépliez entièrement votre carré.

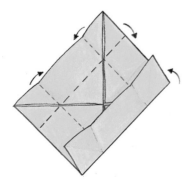

6.Pour le pliage de la nacelle, faites quatre incisions dans le carré en suivant les lignes rouges du dessin.

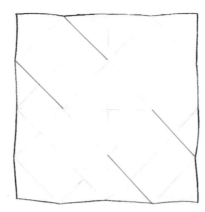

7.Pliez le coin supérieur droit et le coin inférieur gauche jusqu'au centre.

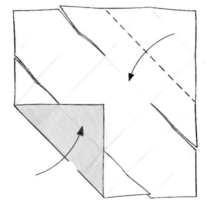

8.Les parties hachurées du dessin doivent être redressées à la verticale par rapport au fond de la boîte. Les quatre pointes de ces parties qui dépassent doivent être repliées vers l'intérieur et disposées l'une à côté de l'autre (voir les flèches du dessin).

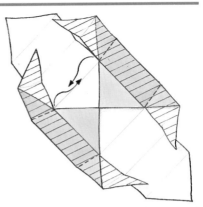

9.Les deux autres pointes qui dépassent encore, doivent être repliées au-dessus du bord de la boîte jusqu'au centre.
Pressez une dernière fois les bords de la boîte entre vos doigts pour qu'ils restent bien droits. Les quatre pointes se rejoignent au centre du carré et doivent être fixées avec un peu de colle.

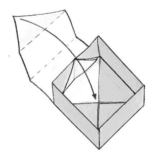

10. Comme une vraie nacelle est équilibrée par des sacs de sable, collez un bonbon de chaque côté de la boîte.

11. Il vous reste à attacher la nacelle au ballon. Faites passer quatre fils de même longueur par les quatre coins de la nacelle. Attachez l'une des extrémités de chaque fil au bord de la boîte et faites passer l'autre, que vous avez enfilée au préalable à travers le bord inférieur du ballon. Piquez toujours à environ 0,5 cm du bord et tirez bien sur tous les fils. Les quatre fils doivent passer par le même orifice.

L'heure des lanternes

Une fois que les journées raccourcissent et que la nuit tombe plus vite, les lumières apparaissent beaucoup plus tôt dans les rues de la ville.
Dans certaines régions, il est de tradition que durant cette époque de l'année, les enfants se rassemblent le soir pour défiler dans leur quartier avec des lanternes qu'ils ont bricolées eux-mêmes. Confectionner des lanternes n'a rien de très difficile.
La forme de base qui est expliquée au début de ce chapitre, vous permet de réaliser un grand nombre de lanternes d'aspects très différents.

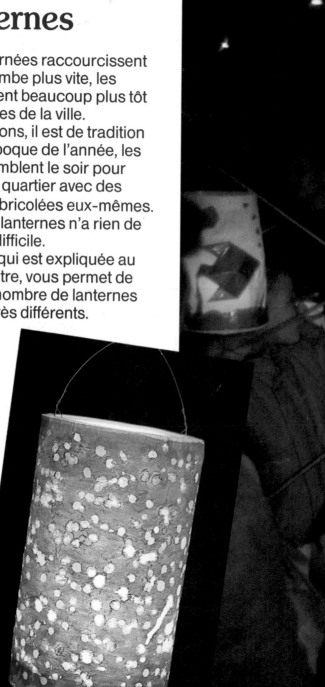

Lampe de table

Cette petite lampe ne demande que peu de travail. Avant de commencer, recouvrez la table de vieux journaux ou d'une toile cirée pour éviter de faire des taches de colle d'amidon. Le verre à confiture doit avoir une ouverture suffisamment grande afin que vous puissiez y introduire, sans problèmes, la bougie à réchaud.

1.Déchiquetez le papier transparent et triez les petites bandelettes de papier par couleur. Vous devez disposer de 4 à 5 tons différents.

2.Préparez la colle d'amidon dans le récipient selon le mode d'emploi qui se trouve sur l'emballage.
Avec vos mains, enduisez de colle une partie de la paroi externe du verre à confiture.

3.Pressez les languettes de papier transparent contre la colle et lissez-les avec vos doigts. Collez-les les unes contre les autres de façon à dissimuler le verre. Si vous les collez les unes sur les autres, vous obtiendrez des nuances de couleur supplémentaires.

4.Une fois que la partie de verre enduite de colle est complètement recouverte de papier, enduisez de colle le reste de la paroi et recouvrez-la également de languettes de papier transparent.
Vous pouvez aussi composer un paysage avec des montagnes, des arbres, un soleil et un lac.

5.Si vous introduisez une bougie à réchaud allumée dans le verre, votre lampe va diffuser des faisceaux lumineux multicolores et créer une atmosphère très agréable dans la pièce.
Posez-la sur la table ou l'appui de fenêtre.

Forme de base
pour lanterne

Les cortèges aux lanternes qui se déroulent dans certaines régions durant l'automne, constituent une vieille coutume pleine de charme.

Les enfants aiment beaucoup cette tradition, car ils confectionnent leurs lanternes eux-mêmes.

Voici comment il faut s'y prendre pour bricoler la forme de base d'une lanterne.

Les quatre suggestions qui suivent reposent toutes sur le même principe.

1.Dans une épicerie vous trouverez certainement des boîtes à fromage vides ayant environ 16 cm de diamètre. Ces boîtes comportent deux parties: un fond à petit bord et un anneau supérieur de même dimension.

Pour le "corps" de votre lanterne, il vous faut des boîtes de ce type.

Au cas où l'anneau manque, confectionnez-en un à partir d'une bande en carton de 52 cm de long et de 2 cm de large.

2.A l'aide de la règle, tracez un rectangle de 25x52 cm sur le papier-calque et découpez-le

Collez le bord inférieur du papier-calque autour du bord extérieur de la boîte (voir le dessin). Avec un rectangle de 52 cm de longueur, vous pouvez faire tout le tour de la boîte.

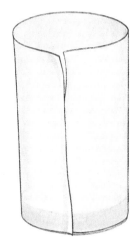

3. Ensuite, collez l'anneau à l'intérieur du bord supérieur de la lanterne.

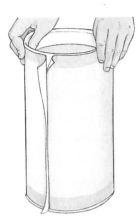

4. Pour fermer la lanterne, collez les deux bords longitudinaux du papier-calque ensemble.

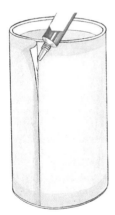

5. A vue d'oeil, évaluez plus ou moins le centre du fond de la boîte. Servez-vous de la pointe du couteau pour y faire deux petites fentes distantes d'environ 1 cm.
Ainsi vous pourrez facilement glisser le bougeoir en métal à travers la lanterne.

6. Avec le couteau, aplatissez les deux languettes du bougeoir contre la face extérieure du fond.

7. Une fois que le bougeoir est bien fixé, glissez une bougie de dimension adéquate à l'intérieur.

8. Maintenant il faut prévoir un moyen de suspendre votre lanterne. Avec l'aiguille à repriser, faites deux orifices dans l'anneau supérieur en veillant à ce qu'ils soient juste en face l'un de l'autre.

9. Faites passer l'une des extrémités du fil de fer par l'un des orifices et recourbez-la d'environ 3 cm. Puis, entrelacez cette partie avec le reste du fil de fer. Procédez de la même manière avec l'autre extrémité du fil.

10. Entrelacez le milieu du fil de fer pour former une boucle à travers laquelle vous pourrez glisser le bâton de votre lanterne.

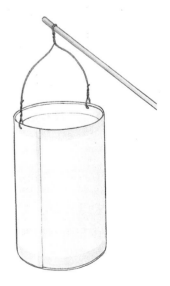

Lanterne à lutins

Matériel
- les matériaux nécessaires pour la forme de base de la page 179
- du papier cerf-volant jaune, orange et rouge (1/4 de chaque feuille suffit)
- du papier-calque
- une grande bande de papier silhouette noir de 16 x 50 cm

Le petit lutin qui danse en chantant autour du feu a été choisi comme motif pour cette lanterne.

1. Déchirez le papier cerf-volant jaune, orange et rouge en fines bandelettes pointues ayant maximum 25 cm de long.
Collez-les sur la feuille de papier-parchemin de 52 x 25 cm en les superposant partiellement pour former des flammes.

2. Pliez le papier silhouette en accordéon. Chaque pli doit avoir 6 cm de large.

3. Avec du papier-calque, reproduisez le demi-lutin qui se trouve à la page 224 du catalogue des modèles sur le papier plié en accordéon. Veillez à ce que le milieu du lutin coïncide exactement avec le pli.

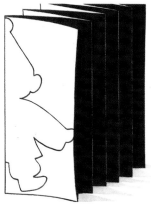

4. Découpez le demi-lutin et dépliez la feuille.
Maintenant vous disposez de toute une série de figurines attachées les unes aux autres.

5. Collez cette ronde de petits lutins autour des flammes à 2 cm du bord inférieur du papier-calque.

6. Achevez la lanterne selon les instructions de la page 180.

Lanterne à feuilles séchées

Matériel
- les matériaux nécessaires pour la forme de base (voir page 179)
- des herbes et des feuilles pressées
- une seconde feuille de papier-parchemin de même format que celle utilisée pour la forme de base.

Pour cette lanterne, vous devez rassembler des herbes et de jolies feuilles. Elles doivent être séchées et pressées avant d'être collées. Il suffit de les glisser entre les pages d'un vieil annuaire du téléphone ou d'un catalogue et de les laisser reposer durant environ une semaine.

1. Collez les herbes et les feuilles verticalement sur la feuille du papier-parchemin de la forme de base en les disposant harmonieusement. Mieux vaut étendre la colle avec vos doigts pour qu'elle soit uniformément répartie.

Les petites feuilles sont particulièrement bien mises en relief le long du bord inférieur du papier.

Collez autant d'herbes et de feuilles sur la papier-parchemin que vous en avez envie. L'important est que l'image vous plaise.

2. Avec vos doigts, répartissez des petites gouttes de colle sur le papier. Puis, posez l'autre feuille de papier-parchemin de même dimension dessus. Ainsi vos herbes et vos feuilles resteront bien conservées.

3. Terminez la lanterne selon les instructions de la page 180.

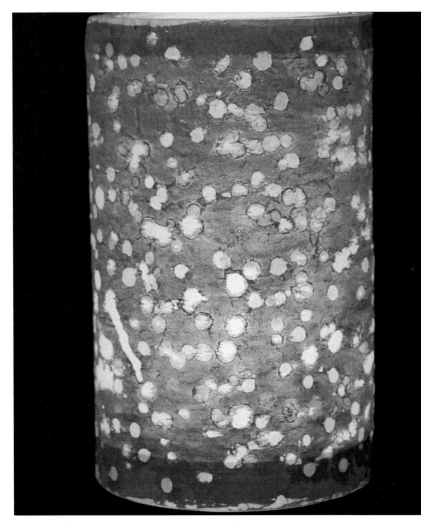

1. Allumez la bougie et faites couler des goutelettes de cire sur le rectangle de papier-parchemin.

2. Ensuite, le papier doit être peint en commençant toujours par la couleur la plus claire et en terminant par le plus foncée. Prenez, par exemple dans l'ordre, du jaune, de l'orange et du rouge ou du bleu ciel, du rouge et du rouge foncé.
Les gouttelettes de cire n'absorbent naturellement pas la couleur.

3. Quand la gouache est sèche, faites à nouveau couler de la cire sur le papier-parchemin. Puis, peignez la feuille en orange.

4. Une fois que cette seconde couche est sèche, faites encore couler de la cire sur le papier. Ensuite, étendez la couleur rouge.

5. Laisser sécher la feuille et posez-la sur une pile de journaux. Recouvrez le papier-parchemin d'une feuille de papier journal.
Réglez votre fer sur la position "laine" ou "coton" et passez sur les gouttelettes de cire. Elles vont fondre et être absorbées par le papier journal. Veillez à remplacer régulièrement la feuille de papier journal qui se trouve au-dessus.
A la fin, vous aurez une feuille rouge avec des points blancs, jaunes et oranges.

6. Il ne vous reste plus qu'à terminer votre lanterne selon les indications de la page 180.

Lanterne en batik de cire

Le batik de cire est très décoratif. Il peut être réalisé selon un procédé assez simple qui est même à la portée des petits enfants.
Comme il faut manier des bougies allumées et un fer à repasser chaud, mieux vaut demander l'assistance d'un adulte. Entre les différentes étapes du travail, il y a des temps d'arrêt, car les couleurs doivent sécher. Vous pouvez donc facilement confectionner plusieurs lanternes à la fois.

Matériel
– les matériaux nécessaires pour la forme de base (voir page 179)
– une bougie
– des gouaches
– un pinceau assez épais
– des vieux journaux
– un fer à repasser

Lampe-aquarium

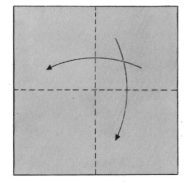

Matériel
- Les matériaux nécessaires pour la forme de base (voir page 179)
- un bloc de papier transparent

Cette lampe a été décorée avec des poissons en papier transparent. "L'eau" dans laquelle ils nagent contient des plantes aquatiques.

1. Choisissez 5 tons de papier transparent pour les poissons. A l'aide de la règle, tracez 5 carrés sur le papier transparent: 3 de 9 cm de côté et 2 de 12 cm de côté. Ensuite, découpez-les.

2. Maintenant il faut réaliser le pliage pour les poissons.
Pliez deux côtés opposés du carré l'un sur l'autre. Dépliez-les et faites la même chose avec les deux côtés.

3. Pliez chaque coin sur le coin opposé et ouvrez à nouveau votre carré. Le dessin vous montre les différentes lignes formées par les plis.

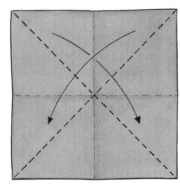

4. Ensuite, pliez les quatre côtés jusqu'à la ligne médiane. Dépliez à nouveau le carré et retournez-le.

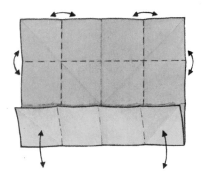

5. Pliez le coin inférieur vers le haut jusqu'au centre.

6. Prenez les points A et B entre deux doigts et pressez de façon à ce que les côtés a et a' d'une part, et b et b' d'autre part soient l'un contre l'autre. Tirez les deux pointes vers le haut de manière à ce qu'elles soient en position verticale par rapport au papier.
Ensuite, repliez-les toutes les deux vers le haut.
Maintenant, le poisson a déjà un corps et des nageoires dorsales.

7. La pointe 4, opposée à la "tête" du poisson, se trouve encore en position verticale par rapport à votre pliage. Pliez-la vers l'intérieur. Puis, repliez-la à moitié vers l'extérieur.

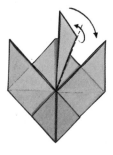

8. Après avoir bien aplati tous les plis, retournez le tout. Le poisson terminé se trouve devant vous.
Pliez encore quatre poissons de couleurs différentes et répartissez-les harmonieusement sur le papier-parchemin.

9. Déchirez du papier transparent vert clair et vert foncé en bandelettes de longueurs différentes. Collez-les entre les poissons en guise de plantes aquatiques et d'algues.

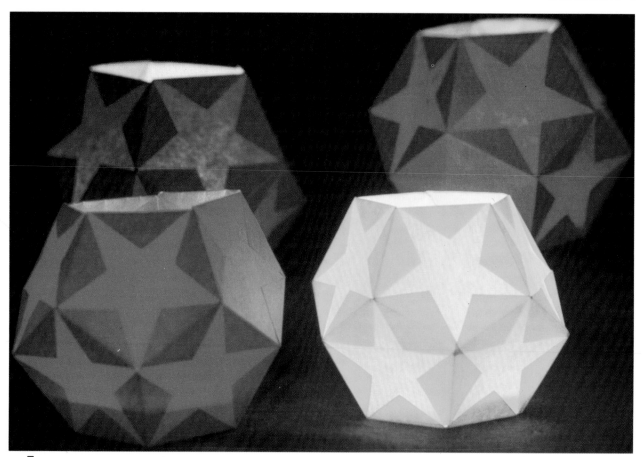

Lampe-pentagone

Cette ravissante lampe est faite de 11 pentagones collés ensemble de façon à faire apparaître des étoiles. Elle diffuse une très belle lumière et constitue une ravissante décoration de table.

1. Décalquez le pentagone de la page voisine sur le morceau de carton. N'oubliez pas de reproduire également les 5 petits traits qui indiquent le milieu de chaque côté. Puis, découpez le pentagone.

2. Posez le modèle en carton sur le papier-éléphant. Tracez 11 pentagones identiques et découpez-les.

3. Pliez tous les coins vers l'intérieur en forme de triangle. Les extrémités de chaque pli doivent coïncider avec les traits qui indiquent le milieu des côtés (voir le dessin). Ensuite, dépliez à nouveau les 5 triangles.

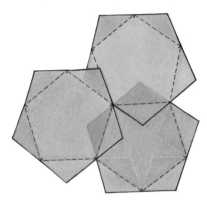

4. Procédez de la même façon avec les 11 pentagones.

5. Posez un pentagone devant vous. Celui-ci constitue le fond de la lampe. Puis, posez 5 autres pentagones autour du premier en veillant à superposer les triangles, comme vous le montre le dessin. Collez ces triangles l'un contre l'autre.

Modèle à décalquer

6. Au fur et à mesure que vous collez les pentagones ensemble, la forme va gonfler et dèvenir une sorte de sphère "angulaire".

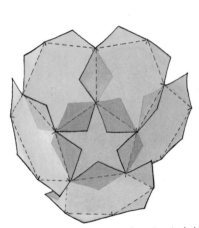

7. Les 5 pentagones qui restent, doivent être collés sur les premiers selon le même principe. Ensuite ils doivent également être collés l'un contre l'autre.

Il ne reste plus qu'à plier les pointes supérieures qui dépassent vers l'intérieur et à les fixer avec un peu de colle.

8. Dès que vous aurez placé une bougie à réchaud allumée dans la lampe, vous verrez apparaître des formes étoilées qui résultent de la superposition des triangles.

Instruments de musique à fabriquer soi-même

Ce chapitre vous propose une série d'instruments de musique que vous pouvez facilement réaliser vous-même à partir de matériaux bon marché.
Vous pouvez même en constituer toute une collection.
Comme la plupart des instruments qui vous sont proposés ici sont destinés à jouer de la musique rythmique, il n'est pas nécessaire d'avoir une formation musicale de base très développée.
Il s'agit avant tout d'inventer et d'expérimenter des sons et des rythmes et d'éveiller chez chacun le goût pour la musique.
Une fois que vous disposez d'un nombre suffisant d'instruments, vous pouvez organiser en famille ou entre amis, de joyeux concerts accompagnés de chants.

3. Déchiquetez le reste du papier cerf-volant en petits morceaux.

4. Puis, recouvrez votre surface de travail de journaux ou d'une toile cirée.

5. Préparez la colle d'amidon dans un récipient, selon le mode d'emploi de l'emballage.

6. Avec vos mains, répartissez la colle sur toute la paroi externe du pot et sur le papier cerf-volant qui recouvre l'ouverture.
Ensuite, collez les petits morceaux de papier cerf-volant autour du pot.

Hochet en pot à yaourt

Matériel
- un pot à yaourt vide
- du riz ou des petits pois
- un élastique
- 1/2 feuille de papier cerf-volant
- de la colle d'amidon
- un récipient pour préparer la colle

Ici nous vous suggérons de remplir le hochet avec des petits pois ou du riz. Mais vous pouvez tout aussi bien faire l'expérience avec d'autres graines, comme par exemple, des lentilles ou du maïs. Ainsi vous obtiendrez des nuances sonores très différentes.

1. Jetez une poignée de riz ou de petits pois dans le pot à yaourt. Le riz produit un son clair et les lentilles un son légèrement plus voilé.

2. Arrachez un grand morceau de papier cerf-volant et posez-le sur l'ouverture du pot à yaourt. A l'aide de l'élastique, tendez le papier le plus possible au-dessus de l'ouverture du pot.

7. Le pot doit être entièrement recouvert de petits papiers. Quand tout est bien sec, votre hochet est terminé.

3. Avec vos mains, enduisez toute l'ampoule de colle et recouvrez-la entièrement de petits morceaux de papier.

4. Etendez à nouveau de la colle sur cette première couche et recouvrez-la d'une seconde couche de petits papiers.

5. Répétez cette opération jusqu'à ce que tout le papier soit épuisé.

6. Enduisez une dernière fois toute l'ampoule de colle et laissez-la sécher durant environ 2 jours.

7. Pour terminer, prenez le hochet et cognez-le contre le bord de la table. L'ampoule électrique qui se trouve à l'intérieur va se briser.

Hochet-ampoule électrique

Matériel
- une vieille ampoule électrique
- 1/2 feuille de papier cerf-volant
- de la colle d'amidon
- un récipient pour préparer la colle

L'effet le plus fascinant de ce bricolage se produit à la fin, quand vous pouvez briser l'ampoule et que vous entendez pour la première fois le cliquetis des débris de verre.

1. Recouvrez votre surface de travail de journaux. Ensuite, déchirez la demi-feuille de papier cerf-volant en petits morceaux.

2. Préparez la colle d'amidon dans votre récipient en suivant les instructions de l'emballage.

Baguettes et castagnettes

Les baguettes et les castagnettes sont faites à partir de deux cuillères en bois. Les manches sciés deviennent les baguettes à tambouriner et les deux parties arrondies, les castagnettes. Les deux instruments permettent de souligner le rythme d'une chanson.

Les manches des cuillères en bois doivent être sciés avec la vrille juste en-dessous des deux parties arrondies (voir le dessin).

Baguettes à tambouriner

1. Prenez les deux manches des cuillères en bois et poncez les extrémités avec le papier de verre.

2. Décorez les bâtonnets de motifs peints à la gouache.

3. Une fois que la couleur est sèche, posez vos baguettes sur du papier journal et pulvérisez-les de laque.

4. Si vous frappez les baguettes l'une contre l'autre, vous produirez un rythme sonore bref et sec.

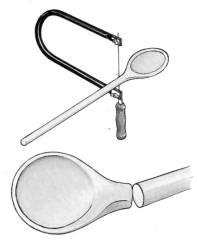

Castagnettes

1. Pour les castagnettes, prenez les deux parties arrondies des cuillères en bois. Commencez par poncer les bords sciés.

2. A l'aide de la vrille, faites deux orifices dans chacune des deux parties arrondies, du côté du bord scié. Ceux qui éprouvent des difficultés à manier la vrille, devraient demander l'aide d'un adulte ou d'un aîné.

3. Superposez les deux parties arrondies en veillant à ce que le côté creux soit à l'intérieur. Faites passer le cordon de cuir par les deux orifices, comme sur le dessin.

4. Pour la phase suivante, il vous faut de l'aide. Posez votre index et votre majeur sur la castagnette et demandez à quelqu'un de nouer le cordon au-dessus de vos doigts. Coupez les extrémités qui dépassent.

5. Coloriez votre castagnette au gré de votre fantaisie. Quand les couleurs sont sèches, posez-la sur du papier journal et pulvérisez-la de laque pour que les dessins ne s'estompent pas.

6. Pour jouer, glissez votre majeur à travers le cordon et pressez la castagnette contre l'intérieur de votre main. Vous pouvez déterminer le rythme en ouvrant et en refermant votre main.

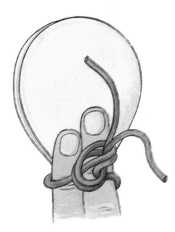

Cloche-pot de fleurs

Matériel
- des restants de laine d'épaisseur moyenne
- un crayon
- un pot de fleur en terre cuite d'environ 10 cm de diamètre
- une perle en bois de 2,5 cm de diamètre
- des couleurs à doigts
- un pinceau
- de la laque transparente en atomiseur

Cette cloche-pot de fleurs est attachée à une cordelette de fils de laine entrelacés. Si vous ne vous en servez pas comme instrument de musique, suspendez-la à la porte de votre chambre. Vos amis seront surpris d'être annoncés par un carillon aussi original.

1. Coupez 5 fils de laine de 1 m de long et nouez les extrémités ensemble.

2. Attachez l'une des extrémités nouées à une clenche de porte et tirez sur les fils pour bien les tendre. Glissez un crayon à travers l'autre extrémité.
Tenez la cordelette en main juste derrière le crayon en serrant bien fort. Puis, tournez le crayon comme une hélice, en veillant à respecter toujours le même sens. Les fils doivent rester bien tendus.

3. Une fois que tous les fils sont bien entrelacés, retirez l'extrémité de la cordelette fixée à la clenche. Prenez-la dans la même main que celle avec laquelle vous manipulez le crayon. Ainsi la cordelette est pliée en deux et va commencer à s'enchevêtrer d'elle-même. Lissez-la avec les doigts de l'autre main.

4. Nouez les deux extrémités de la cordelette ensemble.

6. Remontez le pot de fleurs jusqu'à ce qu'il soit contre le noeud de la cordelette. Faites un second noeud à hauteur du bord du pot.

7. Tirez sur l'extrémité supérieure de la cordelette et laissez glisser le pot vers le bas. Enfilez la perle par le bas de la cordelette.

9. Peignez votre cloche avec un pinceau et des couleurs à doigts. Même des motifs très simples, comme par exemple, des cercles de toutes les couleurs, produisent un bel effet.

10. Pour terminer, pulvérisez votre cloche de laque. Comme la laque est sous pression, mieux vaut procéder à cette opération à l'extérieur ou recouvrir toute la table de journaux.

5. Ensuite, glissez-la à travers l'orifice qui se trouve dans le fond du pot de fleurs.

8. Glissez la perle vers le haut jusqu'à ce qu'elle disparaisse sous le pot, faites encore un noeud juste en-dessous de la perle.

Percussions

Voici un xylophone en bois qui produit une gamme de sons discordants allant de do à do'. Pour jouer de cet instrument, il faut le tenir d'une main et frapper dessus avec un petit maillet.

Au cas où les sons discordants vous gênent, vous pouvez accorder l'instrument. Si vous raccourcissez les bâtons en bois, les sons deviendront plus aigus. En râpant un peu le bois au milieu des bâtons, vous obtiendrez des sons plus bas.

1. Avec les cinq fils de laine, confectionnez une cordelette de 1 m de longueur (suivez les instructions de la page 194 jusqu'au point 4). Les fils de laine doivent avoir 2 m 50 de long. Une fois que la cordelette est terminée, faites un noeud à chaque extrémité.

2. La grande cheville doit maintenant être sciée en 8 bâtons ayant les longueurs suivantes:
25 cm
24 cm
23 cm
22 cm
21 cm
20 cm
19 cm
18 cm

3. Poncez toutes les extrémités des bâtons avec le papier de verre.

4. Posez la cordelette en forme de U devant vous et glissez le bâton le plus long à travers les deux extrémités.

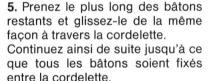

5. Prenez le plus long des bâtons restants et glissez-le de la même façon à travers la cordelette.
Continuez ainsi de suite jusqu'à ce que tous les bâtons soient fixés entre la cordelette.

6. Coupez dans les deux extrémités de la cordelette pour former de jolies petites franges sous les noeuds.

7. Il vous reste à bricoler le maillet. Enduisez l'extrémité de la petite cheville d'un peu de colle forte. Puis, posez la perle en bois dessus. Le maillet doit sécher durant environ une journée avant que vous puissiez vous en servir pour jouer.

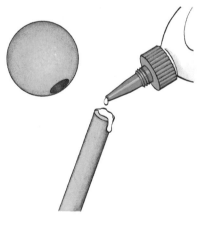

Instrument à cordes

Il vous est certainement déjà venu à l'idée d'utiliser un tonneau de poudre à lessiver comme tambour. Voici une autre possibilité d'en tirer parti pour fabriquer un instrument à cordes.

1. A l'aide du couteau, faites des entailles de part et d'autre du bord supérieur du tonneau en veillant à ce qu'elles soient juste en face les unes des autres. Vous aurez plus de facilité en plaçant une règle en oblique au-dessus du bord du tonneau et en indiquant au crayon les points où elle rencontre le bord. Ainsi vous avez des repères pour faire les entailles.
Faites cinq fentes de chaque côté du bord du tonneau.

2. Le ruban élastique doit être fixé à travers ces fentes. Coupez 5 morceaux de ruban de 30 cm de long. Prenez l'un des rubans et nouez l'une des extrémités. Glissez le côté noué à travers une fente (voir le dessin), et faites passer le ruban à travers la fente opposée. Tendez-le bien et nouez également l'autre extrémité.
Le ruban élastique est maintenant tendu entre les deux fentes et les noeuds l'empêchent de glisser.
Fixez de la même façon les quatre autres élastiques.
Si vous pincez les rubans, vous constaterez que chaque "corde" produit un autre son. Ceci résulte de la différence de longueur des cordes.

3. Pour terminer, peignez votre instrument à cordes avec de la peinture acrylique. Choisissez des tons et des motifs que vous aimez.

Nous fêtons Noël

La période qui précède Noël est marquée par une grande effervescence car il faut penser aux préparatifs de la fête toute proche.

Les enfants s'enferment dans leur chambre et débattent avec ardeur: quel est le cadeau qui ferait plaisir à papa et à maman cette année? Bien sûr, il faudrait que ce soit quelque chose qu'ils aient bricolé eux-mêmes.

Vous trouverez certainement une proposition qui vous conviendra dans ce chapitre ou dans un autre.

Le temps semble toujours long jusqu'au 24 décembre mais il y a moyen de le faire passer plus vite en bricolant des objets qui serviront à décorer les pièces de la maison ou qui égaieront la table pendant l'Avent.

Vous trouverez de nombreuses suggestions dans ce chapitre.

Moutons en laine brute

Matériel
– du papier-calque
– un crayon
– des restants de carton
– des ciseaux
– de la colle
– un crayon feutre noir
– de la laine brute non tissée

Ce mouton en laine brute est très joli et, en plus, il est facile à réaliser. Vous pourrez le mettre dans votre petite ferme et vous pourrez même confectionner tout un troupeau.
Si vous voulez aussi réaliser un berger, consultez les instructions de la page 214 de ce même chapitre.

1. A l'aide du papier-calque, décalquez deux fois la silhouette du mouton sur le carton (suivez les instructions de la page 14 pour décalquer des modèles). Il faut aussi décalquer deux fois les oreilles et les reporter sur le carton. Découpez ensuite toutes les parties.

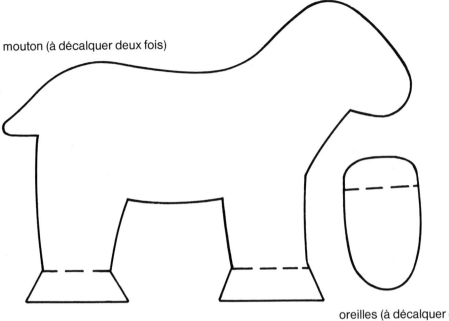

mouton (à décalquer deux fois)

modèle à décalquer

oreilles (à décalquer deux fois)

2. Collez les deux parties du mouton en carton l'une contre l'autre jusqu'à la ligne en pointillés des pattes. A la hauteur de cette ligne, pliez le carton vers l'extérieur.

3. Collez les oreilles de chaque côté de la tête. Dessinez les yeux avec le crayon feutre noir.

4. Le museau, les oreilles et les pattes du mouton ne peuvent pas être recouverts de laine. Enduisez une face du reste du corps de colle, posez-y la laine et appuyez doucement.

5. Quand la laine est bien collée sur une face, faites de même avec l'autre.

6. Ecartez maintenant les pattes du mouton vers l'extérieur en suivant la ligne en pointillés. Et voilà, votre mouton peut maintenant se tenir debout.

Etoile granulée

Les bricolages effectués avec des granulés scintilleront comme des bijoux si vous les suspendez à la fenêtre ou si vous en ornez un arbre de Noël. Les couleurs des granulés brilleront de tout leur éclat dès qu'ils seront exposés à un rayon de lumière. Si vous n'avez pas de moule à pâtisserie en aluminium, vous pouvez acheter un "moule à granulés" dans les magasins de bricolage, car vous trouverez certainement l'occasion de l'employer à nouveau plus tard. Mais n'importe quel moule ininflammable convient très bien pour cette technique.

1. Déposez le moule circulaire sur le papier doré et tracez le contour au crayon. Découpez ensuite le cercle en prenant bien soin de rester du côté intérieur de la ligne. Le cercle de papier doré doit être un peu plus petit que le moule.

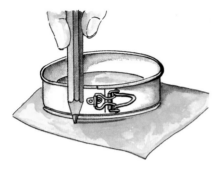

2. A partir de ce cercle, vous allez faire naître une étoile. Pliez le cercle en deux. Puis, pliez-le en quatre.

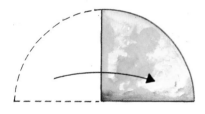

3. Pliez-le encore une fois en deux en veillant à ce que le côté a coïncide exactement avec le côté b.

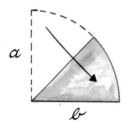

4. Découpez un triangle dans le côté arrondi et découpez des petits morceaux dans les autres côtés, comme vous le montre le dessin. Il faut ensuite déplier le papier doré.

5. Quand l'étoile est prête, répandez une mince couche de granulés (d'une épaisseur de 0,5 cm environ) dans le fond du moule. Posez l'étoile dans le moule et répandez une couche de granulés de la même épaisseur par-dessus.

6. Il faut maintenant faire fondre les granulés.
Mettez le moule au four (200°C) pendant 30 minutes. Si vous avez plusieurs moules, vous pouvez naturellement cuire plusieurs étoiles en même temps.

7. Quand les granulés sont fondus, sortez le moule du four. Soyez très prudents pour ne pas vous brûler. Laissez-le
refroidir pendant quelques instants. Retournez le moule en appuyant légèrement sur le fond pour que la forme granulée se détache. Ensuite, laissez-la refroidir complètement.

8. Faites un orifice dans le fond de la forme granulée pour pouvoir la suspendre. Pour cela, chauffez une aiguille à repriser au-dessus de la flamme d'une bougie. Pour éviter de vous brûler, tenez l'aiguille avec une pince. Piquez l'aiguille échauffée à travers le bord supérieur de l'étoile granulée. L'orifice doit être à environ 1 cm du bord. Maintenant vous pouvez accrocher votre étoile à un fil.

Figurines en graines pour l'arbre de Noël

Matériel
- des petits pois secs (verts et jaunes), des haricots secs (blancs et bruns), des grains de millet, du riz, des lentilles, des graines de tournesol, des clous de girofle, des grains de poivre, des grains de maïs, des baies de genévrier
- du papier-parchemin
- un crayon
- un restant de carton
- des ciseaux
- de la colle
- des fils de laine ou des rubans pour emballages cadeaux
- un couteau de cuisine

Ces ornements pour l'arbre de Noël sont très faciles à réaliser.

Commencez par faire un petit tour dans la pièce où votre maman garde les provisions: vous y trouverez certainement déjà une partie du matériel dont nous avons besoin.

Achetez en petites quantités ce qui vous manque.

1. Pour commencer, il faut bien préparer votre matériel de bricolage sur la table. Versez les différentes graines dans de petites assiettes ou d'autres récipients plats. Vous les aurez ainsi toutes sous les yeux et il vous sera plus facile de les choisir judicieusement.

2. Pour chaque ornement, il vous faut deux fois la même forme en carton. Voici quelques exemples de modèles qui conviennent très bien à ce bricolage: étoile, anneau, sapin, coeur, cercle, champignon, fleur, arbre, homme, femme. Choisissez votre modèle dans ces pages ou référez-vous à la page 223 du catalogue. Décalquez deux fois le modèle choisi sur du carton et découpez les deux formes. Si vous voulez dessiner un anneau ou un cercle, servez-vous d'une boîte ronde comme modèle.

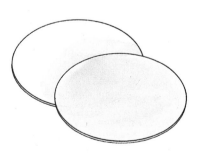

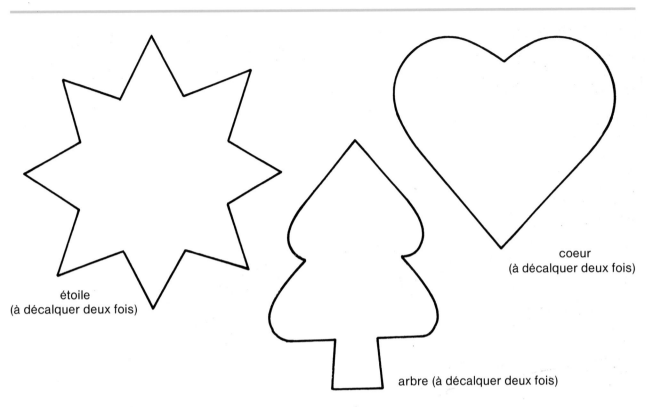

étoile
(à décalquer deux fois)

arbre (à décalquer deux fois)

coeur
(à décalquer deux fois)

3. Maintenant il faut encoller les modèles. Pour les formes rondes comme les cercles, les anneaux, les fleurs et les coeurs, mieux vaut commencer l'encollage par le centre de la forme et terminer par le bord extérieur. Il faut encoller les autres modèles en suivant leur contour.

Etendez de la colle sur une partie de la forme et déposez-y les graines de votre choix. La deuxième rangée de graines doit pouvoir bien se distinguer de la première. Choisissez donc, des graines de couleur et de formes différentes. Recouvrez entièrement la forme de graines et faites ensuite la même chose avec la deuxième forme en carton.

Encore un petit conseil pour coller les graines convenablement: il vaut mieux couper les petits pois et les haricots en deux, ils tiendront beaucoup mieux. Pour cela, il faut employer un couteau de cuisine. Demandez à un adulte de le faire pour vous.

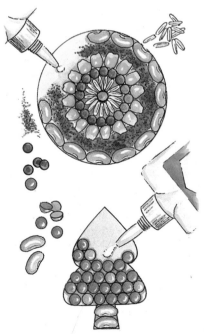

4. Quand les deux formes en carton sont recouvertes de graines, étendez de la colle sur le verso de l'une des formes et posez-y un fil de laine ou un ruban cadeau auquel vous aurez donné la forme d'une boucle. Pressez ensuite l'autre forme en carton contre la première.

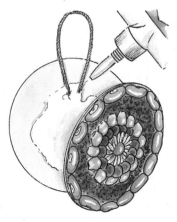

Corbeille
en étoile

Il est toujours très gai de recevoir des bonbons ou des noix à l'époque de Noël. Vous pourrez en remplir ces petites corbeilles en étoile et les déposer sur la table. Une autre idée: si vous faites vous-même des biscuits, mettez-en quelques-uns dans une corbeille comme celle-ci et offrez-les à vos amis.

Matériel
– une feuille carrée (20 x 20 cm) de papier doré ou de papier à dessin (Prenez du papier double face, le recto doré et le verso rouge, par exemple)
– des étoiles adhésives

1. Pliez la feuille carrée en deux. Appuyez sur le pli avec le doigt pour bien le marquer. Ensuite, ouvrez la feuille et pliez les deux autres côtés l'un sur l'autre. Marquez le pli, ouvrez à nouveau la feuille et retournez-la. Maintenant pliez deux fois la feuille en diagonale, c'est-à-dire angle sur angle.
N'oubliez pas d'ouvrir la feuille après chaque pli. Quand vous avez effectué les deux plis en diagonales, retournez la feuille. Ainsi vous avez obtenu tous les plis que vous voyez sur le dessin.

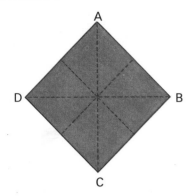

2. Pressez légèrement l'index sur le centre de la feuille pour que les quatre coins se soulèvent.

Prenez la feuille par les coins A et C. Soulevez-les et ramenez-les l'un contre l'autre. Déposez-les ensuite tous les deux contre le point B. Les coins A, B et C sont maintenant réunis et vous pouvez facilement ramener le quatrième (D) par-dessus.

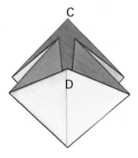

3. Vous avez obtenu un carré sur sa pointe. Il est divisé en deux par un pli. Ramenez les deux bords extérieurs de la face supérieure du carré contre ce pli.

La ligne en pointillés du dessin vous indique comment effectuer ce pli.

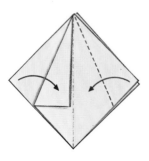

4. Retournez votre carré, la face déjà pliée doit être contre la table. Ramenez les deux bords extérieurs de l'autre face contre le pli central. Le dessin vous montre la forme que vous devez obtenir.

5. Les faces qui ont été pliées jusqu'à la ligne du milieu sont de forme triangulaire. Soulevez un de ces triangles, ouvrez-le et aplatissez-le en appuyant sur ses bords. Le triangle a maintenant la forme d'un cornet. Faites la même chose avec les trois autres triangles de façon à obtenir quatre cornets.

6. Pliez maintenant chacun de ces cornets en deux et rabattez une moitié vers l'arrière. Regardez le dessin: les moitiés à rabattre sont hachurées. Quand vous les aurez rabattues, vous ne pourrez plus voir ces parties car elles seront à l'intérieur de votre future corbeille.

7. Rabattez la pointe de devant le plus loin possible vers l'avant et la pointe de derrière le plus loin possible vers l'arrière.

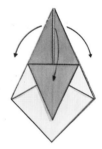

8. Il reste deux pointes. Ecartez-les soigneusement vers l'extérieur et ramenez-les vers le bas. Votre corbeille va s'ouvrir lentement et vous verrez deux des bras de l'étoile apparaître. Il faut maintenant aplatir le fond de la corbeille avec le pouce. Ce sera plus facile si vous posez la corbeille sur la table. Et voilà, votre corbeille est terminée. Vous pouvez décorer ses branches d'étoiles adhésives et la remplir de noix et de biscuits de Noël.

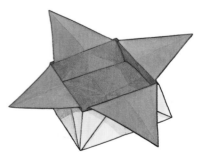

Sabot de Père Noël

Le jour de Noël, vous serez certainement très content de mettre sur le seuil de la porte, ce sabot que vous aurez confectionné vous-même ... et qui sera plein de sucreries. Pourquoi ne pas faire une surprise à vos parents en leur offrant ce "cadeau"? Avec un peu d'habileté, vous n'aurez pas de mal à le réaliser.

1. Vous trouverez le patron du sabot du Père Noël sur la grande feuille du catalogue. Reportez le modèle sur la feuille de carton rouge en vous servant de papier-calque. Puis, découpez-la.

2. Placez ensuite votre règle contre les lignes en pointillés et incisez le carton à l'aide de la pointe du couteau de cuisine. Toutes les lignes en pointillés doivent être incisées sur toute leur longueur. Découpez le sabot le long des deux lignes marquées de points plus espacés.

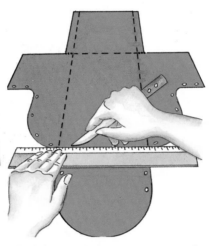

3. Il faut maintenant remonter les parois du sabot en suivant les lignes en pointillés. Enduisez les languettes de colle et appliquez-les contre le bord intérieur des deux parois latérales.

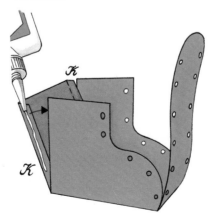

4. Avec une perforatrice ou une aiguille à repriser, enfoncez les petits cercles que vous aurez précédemment dessinés sur les parties latérales et sur la partie centrale. Faites ensuite passer le fil de laine blanche (d'environ 150 cm de long) alternativement dans un orifice de la partie centrale et dans un orifice des parties latérales.

Commencez par la pointe du sabot et faites avancer simultanément les deux fils vers le haut du sabot. A chaque fois que vous le ferez passer à travers deux orifices en vis-à-vis, le fil dessinera une croix sur la partie centrale.

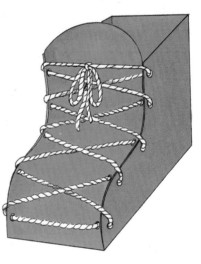

Faites un joli noeud pour fermer le sabot et remplissez-le de tas de bonnes choses.

Chanteur à l'étoile

C'est une vieille coutume: les jours qui précèdent l'Epiphanie, les enfants vont de maison en maison pour chanter des chansons sur les Rois Mages. Ils ont toujours une étoile avec eux, et pour les remercier d'avoir chanté, les gens leur donnent un peu d'argent, des biscuits et des fruits. Voici comment réaliser un "chanteur à l'étoile". Pendant l'Avent, vous pourrez le placer sur la table avec des branches de sapin et une bougie.

 Matériel
- du papier-calque
- un crayon
- un morceau de papier à dessin blanc (30 x 30 cm)
- un morceau de papier à dessin rouge (30 x 30 cm)
- des ciseaux
- de la colle
- une boule de papier mâché avec un orifice (pour plus de détails, cf page 76 "Poupées en papier mâché")
- un cure-dent
- un peu de laine brute non tissée
- des crayons feutres
- un peu de papier doré
- une brochette en bois pour grillades

1. Vous trouverez les différentes parties du chanteur à la page 223 du catalogue des modèles. Décalquez son manteau et son chapeau sur le papier à dessin rouge et la silhouette du corps sur le papier à dessin blanc. Découpez toutes les parties.

2. Pour former le corps, réalisez un cornet avec le papier blanc et collez les bords l'un sur l'autre. Laissez une petite ouverture dans la partie supérieure du cornet car vous devrez y faire passer le cure-dent.

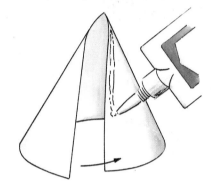

3. Sur la face intérieure du manteau, déposez une ligne de colle allant du milieu du bord droit jusqu'au milieu du bord inférieur courbe. Collez le manteau du chanteur sur son corps en suivant la ligne de colle. Le bord droit doit reposer contre le sommet du cornet.

4. Les bouts du manteau représentent les mains du chanteur. Enduisez leur face interne de colle et superposez-les pour donner l'impression qu'elles sont jointes.

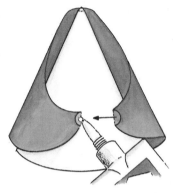

5. Piquez le cure-dent dans l'orifice de la boule de papier mâché. Enduisez de colle le tiers supérieur de la boule et déposez-y une couronne de laine brute non tissée pour former les cheveux.

6. Découpez deux lamelles courtes et étroites dans le papier à dessin rouge et collez leurs extrémités droites sur le chapeau. Collez ensuite le chapeau sur la tête.

7. Pour terminer le chanteur, il ne vous reste qu'à dessiner son visage à l'aide de crayons feutres. Veillez à ce que les rubans du chapeau tombent bien sur une oreille du chanteur.

8. Introduisez maintenant le cure-dent qui supporte la tête dans la petite ouverture du corps.

9. Décalquez deux fois l'étoile de votre chanteur sur du papier doré. Découpez les deux étoiles et collez-les l'une contre l'autre en ne faisant pas correspondre les branches. Collez le bout de la brochette en bois entre les deux faces de l'étoile.

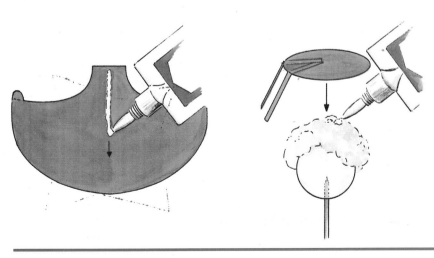

10. Faites un petit trou dans le corps du chanteur, choisissez un endroit recouvert par les manches du manteau rouge. Introduisez-y l'extrémité de la brochette en bois qui porte l'étoile.

Berger en feutre et en laine brute

Matériel
- du feutre brun (20 x 24 cm)
- du feutre vert ou beige
  (16 x 16 cm)
- un peu de laine brune
- 100 gr de laine brute non teintée
- un peu de laine brute brune ou
  rouge
- des restes de fourrure
- de la colle
- des ciseaux
- une aiguille
- du fil
- une soucoupe
- un crayon

Ce berger est entièrement constitué de matériaux naturels et authentiques, ce qui est tout à fait adéquat pour un personnage aussi lié à la nature. En apportant quelques variantes au modèle de base - en utilisant par exemple d'autres couleurs et d'autres accessoires-, vous pourrez composer toute une crèche. Vous trouverez de la laine brute de tous les coloris dans les magasins de bricolage. Il vous en faudra 100 grammes pour confectionner un berger ou tout autre personnage de la crèche.

1. Pour commencer, formez une boule d'environ 7 cm de diamètre avec de la laine brute non teintée.

2. Recouvrez cette boule d'un fin morceau de laine brute que vous aurez bien aplatie. Ramenez tous les bords de ce morceau de laine brute vers le bas et reliez-les avec un fil de laine. Voilà, la tête du berger est finie.

3. Pour réaliser le corps, servez-vous du rectangle de 20 x 24 cm de feutre brun. Formez un cylindre et collez les bords l'un contre l'autre sur une largeur d'environ un centimètre.

4. Ramenez 2 cm du bord inférieur vers l'intérieur du cylindre.

5. Faites passer un fil de laine à un centimètre en dessous du bord supérieur. Faites de grands points.

6. Placez la tête sur le corps en glissant la partie nouée de la boule à l'intérieur de la partie supérieure du cylindre. Ensuite, tirez sur le fil et faites un noeud.

7. Bourrez le corps avec beaucoup de laine brute. Veillez à ce que le bourrage soit ferme et compact car le corps doit pouvoir tenir debout.

8. Fabriquez ensuite une cordelette à l'aide de quatre fils de laine brute ou beige d'une longueur d'un mètre (suivez les indications de la page 195). Nouez cette cordelette autour de la taille du berger. Elle lui servira de ceinture.

9. Votre berger aura l'air encore plus authentique si vous collez un morceau de fourrure sur ses épaules.

10. Donnez la forme adéquate à la laine brute rouge ou brune pour confectionner la barbe et les cheveux. Collez-les sur la tête.

11. Il ne manque plus que le chapeau. Pour le réaliser, placez une soucoupe sur le feutre vert ou beige. Tracez le contour au crayon et découpez ce cercle.

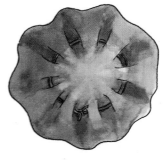

12. Faites passer un fil de laine brune le long du bord interne du cercle. Veillez à piquer à environ 3 cm du bord en faisant de grands points (voir le dessin). Puis, tirez sur les extrémités du fil. Le milieu du feutre va se soulever et former un creux pour accueillir la tête du berger, tandis que le bord du chapeau va légèrement onduler.

13. Nouez les deux extrémités du fil ensemble.
Coupez-les à égale longueur et laissez-les dépasser du chapeau.
Ce sera d'autant plus décoratif.
Il n'y a plus qu'à coller le chapeau sur la tête.

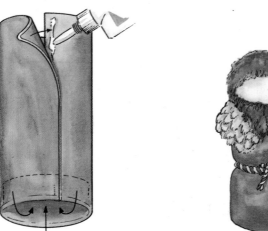

Matériel
– 2 feuilles de papier de soie blanc
– 1 feuille de papier de soie jaune
– un crayon
– des ciseaux
– de la colle
– du papier collant transparent

Ange en papier de soie

Ce bricolage vous permet de réaliser plusieurs anges différents à partir des mêmes modèles découpés. En changeant la position des ailes, l'attitude des bras, des mains et de la tête et en modifiant la disposition du corps, vous pourrez confectionner toute une "armée céleste" dans laquelle aucun ange ne sera vraiment semblable à un autre.

1. Les différentes parties de l'ange sont reprises sur la grande feuille du catalogue des modèles. Reportez les mains, la tête et les cheveux sur le papier de soie jaune et toutes les autres parties sur le papier de soie blanc. Puis, découpez toutes ces formes.

2. Pour coller les différentes parties les unes contre les autres, employez le moins de colle possible, car on remarquera très fort les points de colle lorsque l'ange sera suspendu. Commencez par attacher les ailes l'une à l'autre par un point de colle. Utilisez la colle en très petite quantité.

3. Collez la grande forme représentant la toge à l'endroit où les deux ailes se rejoignent.

4. Ensuite, collez deux autres parties allongées qui complètent la toge en les disposant harmonieusement selon votre goût.

5. Collez les parties supérieures des bras contre les épaules.

6. Collez maintenant les avant-bras en les plaçant pratiquement à angle droit par rapport aux parties supérieures des bras et en les tournant vers l'intérieur.

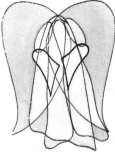

7. Il vous reste à coller les mains, le visage et les cheveux. Vous pouvez bien entendu modifier l'attitude des mains et de la tête. Par exemple, plus on incline sa tête, plus l'ange aura un air de recueillement.

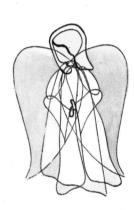

8. Votre ange est terminé. Fixez-le contre la fenêtre avec du papier collant transparent.

Décor mural pour Noël

Matériel
- une assiette à dessert
- une soucoupe
- une tasse
- 5 à 7 feuilles de papier blanc pour machine à écrire
- un crayon
- des ciseaux
- du tissu en coton blanc (50 x 70 cm)
- des épingles
- 3 à 5 tons différents de teinture pour tissu
- un tamis
- une vieille brosse à dents

Avant d'entreprendre ce bricolage, recouvrez bien votre surface de travail avec de vieux journaux. Pour protéger vos vêtements des taches de peinture, enfilez une vieille chemise d'homme à manches longues. Une fois le bricolage terminé, vous pourrez l'accrocher au mur avec des épingles ou des punaises. C'est aussi une jolie décoration de table pendant l'Avent.

1. Déposez l'assiette à dessert, la soucoupe et la tasse sur une feuille de papier machine. Tracez les contours au crayon et découpez ces cercles. Prenez d'autres feuilles de papier machine et refaites la même chose pour avoir 5 à 7 cercles de différentes grandeurs.

2. A partir de ces cercles, vous pouvez confectionner différentes étoiles. Commencez par plier un cercle en deux.

3. Ensuite, pliez-le une nouvelle fois en deux pour obtenir un quart de cercle.

4. Pliez à nouveau ce quart de cercle en deux (référez-vous aux instructions de la page 208).

5. Découpez un rectangle dans le bord arrondi de ce huitième de cercle et découpez des petits motifs dans les autres côtés. Inspirez-vous du dessin.

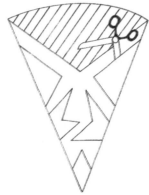

6. Dépliez le tout. Votre première étoile est terminée.

7. Procédez de la même façon pour réaliser les autres étoiles en découpant des motifs de formes différentes.

8. Quand vous avez découpé toutes les étoiles, choisissez-en quelques-unes et disposez-les sur l'un des coins du tissu en coton en veillant à ce qu'elles soient assez rapprochées les unes des autres. Atta-chez-les au tissu avec des épingles. Les étoiles serviront de perchoir au moment de pulvériser la teinture. Commencez toujours par pulvériser la teinture la plus claire. Plongez la brosse à dents dans la couleur jaune. D'une main, maintenez le tamis à une quinzaine de cm au-dessus du tissu, et de l'autre, frottez doucement la brosse à dents contre le grillage du tamis.

Vous devez pulvériser toutes les étoiles fixées sur le tissu. Veillez à ne pas trop imbiber la brosse à dents de couleur, car sinon vous risquez de faire des taches.

N'oubliez pas de toujours pulvériser les couleurs en partant des plus claires jusqu'aux plus sombres.

9. Pour le décor mural de la photo de la page voisine, il faut par exemple, commencer par pulvériser du jaune sur deux étoiles situées dans l'un des coins. Ensuite, les étoiles doivent être détachées du tissu. Celui-ci sera jaune, tandis que la place qu'occupaient les étoiles sera blanche.

Disposez d'autres étoiles en demi-cercle autour des premières et fixez-les également au tissu avec des épingles. Puis, pulvérisez-les de rouge.

A l'endroit où les couleurs jaune et rouge se rencontrent, la peinture va se mélanger et vous obtiendrez un ton orange qui fera une jolie transition entre le jaune et le rouge.

Ensuite, ôtez les étoiles recouvertes de rouge et disposez d'autres modèles d'étoiles sur le tissu. Pulvérisez-les d'une couleur un peu plus foncée.

Choisissez, par exemple, le vert. Continuez à procéder de la sorte jusqu'à ce que toute l'étoffe soit recouverte d'étoiles et ait été pulvérisée.

10. Après avoir passé la dernière couche de couleur au tamis, laissez sécher le tissu. Repassez-le à l'envers en réglant votre fer sur la position coton.

Répertoire

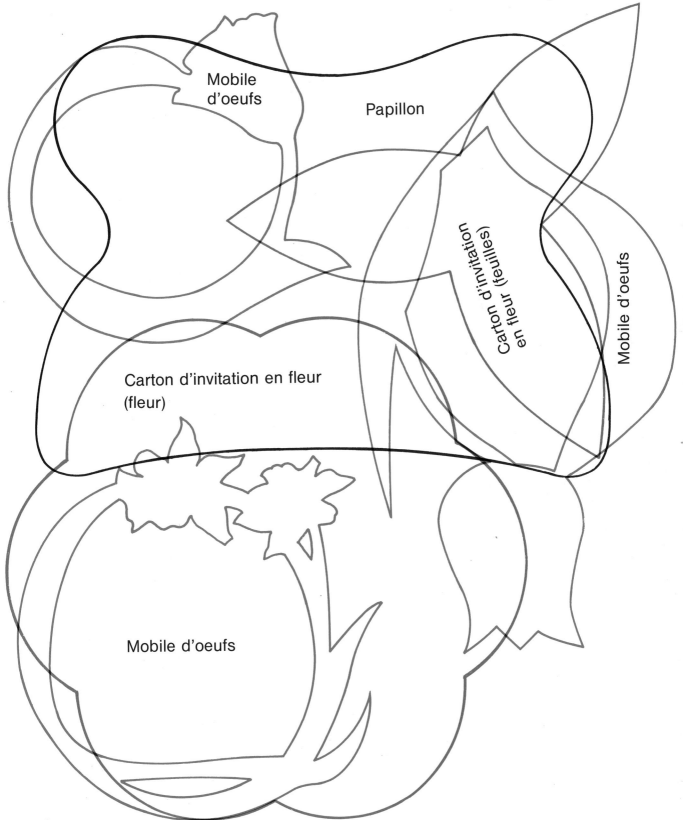

Mobile d'oeufs

Papillon

Catalogue des modèles

Carton d'invitation en fleur (feuilles)

Mobile d'oeufs

Carton d'invitation en fleur (fleur)

Mobile d'oeufs

221

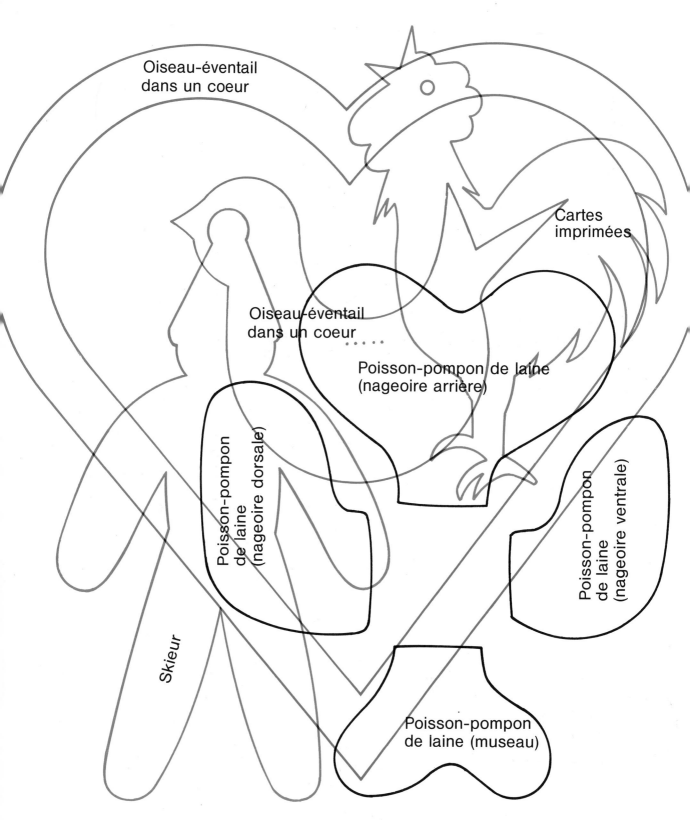

Oiseau-éventail
dans un coeur

Cartes
imprimées

Oiseau-éventail
dans un coeur . . . . .

Poisson-pompon de laine
(nageoire arrière)

Poisson-pompon
de laine
(nageoire dorsale)

Poisson-pompon
de laine
(nageoire ventrale)

Skieur

Poisson-pompon
de laine (museau)

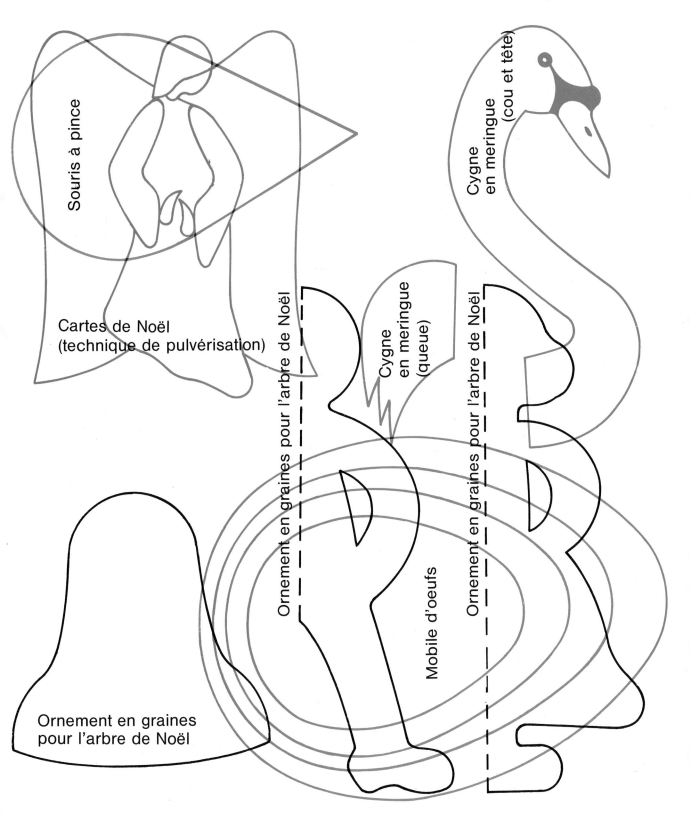

Souris à pince

Cartes de Noël
(technique de pulvérisation)

Cygne
en meringue
(cou et tête)

Ornement en graines pour l'arbre de Noël

Cygne
en meringue
(queue)

Ornement en graines pour l'arbre de Noël

Mobile d'oeufs

Ornement en graines
pour l'arbre de Noël

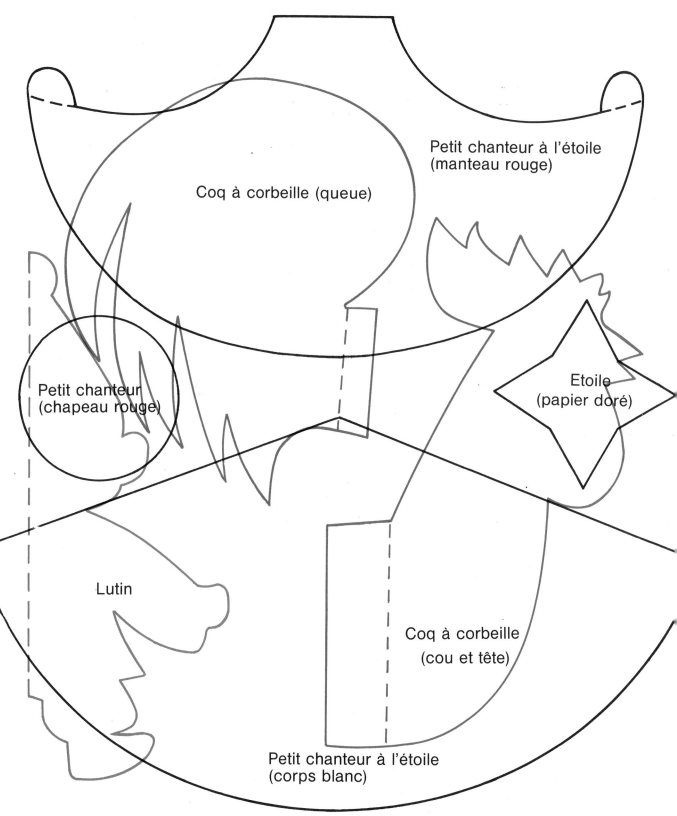

Petit chanteur à l'étoile
(manteau rouge)

Coq à corbeille (queue)

Petit chanteur
(chapeau rouge)

Etoile
(papier doré)

Lutin

Coq à corbeille
(cou et tête)

Petit chanteur à l'étoile
(corps blanc)

Imprimé en Belgique par Casterman, s.a., Tournai. Dépôt légal: octobre 1987; D. 1987/0053/141.
Déposé au Ministère de la Justice, Paris (loi n° 49. 956 du 16 juillet 1949 sur les publications destinées à la jeunesse).